CB066302

O GRANDE LIVRO DOS
DINOSSAUROS

Camelot
EDITORA

CONHEÇA NOSSOS LIVROS ACESSANDO AQUI!

Copyright desta edição ©2021 por IBC - Instituto Brasileiro de Cultura Ltda.
Direitos reservados e protegidos pela lei 9.610 de 19.2.1998.
Nenhuma parte deste livro pode ser reproduzida, arquivada em sistema de busca ou transmitida por qualquer meio, seja ele eletrônico, xérox, gravação ou outros, sem prévia autorização do detentor dos direitos, e não pode circular encadernada ou encapada de maneira distinta daquela em que foi publicada, ou sem que as mesmas condições sejam impostas aos compradores subsequentes.
3ª Impressão em 2022

Presidente: Paulo Roberto Houch
MTB 0083982/SP

Coordenação editorial: Priscilla Sipans
Coordenação de Arte: Rubens Martim (capa)
Editora: Ana Vasconcelos
Redação: Felipe Affonso Boschetti
Assistente de redação: Giovana Meneguim
Design e diagramação: Fabiana Sant'Ana
Foto de capa: Shutterstock

Vendas: Tel.: (11) 3393-7727 (comercial2@editoraonline.com.br)

Foi feito o depósito legal.

Dados Internacionais de Catalogação na Publicação (CIP)
(eDOC BRASIL, Belo Horizonte/MG)

G751　O grande livro dos dinossauros / [Equipe da Camelot Editora]. – Barueri, SP: Camelot, 2021.
　　　　15,5 x 23 cm

　　　　ISBN 978-65-87817-49-1

　　　　1. Dinossauros. 2. Animais pré-históricos. I. Título.
　　　　　　　　　　　　　　　　　　　　　　　　　　　CDD 567.9

Elaborado por Maurício Amormino Júnior – CRB6/2422

Direitos reservados ao
IBC – Instituto Brasileiro de Cultura LTDA
CNPJ 04.207.648/0001-94
Avenida Juruá, 762 – Alphaville Industrial
CEP. 06455-010 – Barueri/SP
www.editoraonline.com.br

SUMÁRIO

PARTE 1
SURGE A VIDA NA TERRA

4 CAPÍTULO 1
INÍCIO DA VIDA

18 CAPÍTULO 2
ERA MESOZOICA

28 CAPÍTULO 3
ERA CENOZOICA

PARTE 2
CONHECENDO OS DINOSSAUROS

34 CAPÍTULO 4
ORIGEM E ANATOMIA

40 CAPÍTULO 5
ATAQUE E DEFESA

45 CAPÍTULO 6
ALIMENTAÇÃO

48 CAPÍTULO 7
LOCOMOÇÃO

52 CAPÍTULO 8
HISTÓRIAS FANTÁSTICAS

64 CAPÍTULO 9
FOSSILIZAÇÃO
E PROCESSOS
ARQUEOLÓGICOS

72 CAPÍTULO 10
PALEONTOLOGIA

PARTE 3
O GUIA DOS DINOSSAUROS

A
78. Abrictossauro
78. Acantopholis
79. Acrocanthosaurus
80. Aegyptosaurus
81. Afrovenator
82. Alamosaurus
83. Albertosaurus
84. Ankylosaurus
85. Animantarx
86. Anserimimus
86. Antarctossauro
87. Antetonitros
88. Apatossauro
89. Aralossauro
90. Avaceraptor

B
91. Bactrosaurus
92. Bagaceratops
93. Bambiraptor
93. Barapasaurus
94. Baryonyx
95. Barosaurus
96. Bonitasaura
97. Brachyceratops
98. Brachylophosaurus
98. Brachytrachelopan
99. Brachiosaurus
100. Breviceratops
101. Bruhathkayossauro
102. Buiteraptor

C
103. Camarasaurus
104. Camptosaurus
105. Carcharodontosaurus
106. Carnotaurus
108. Caudipteryx
109. Centrosaurus
110. Cetiosaurus
111. Charonosaurus
112. Chasmosaurus
113. Chirostenotes
114. Coelophysis
115. Compsognathus
116. Corythosaurus

D
117. Deinonychus
118. Diplodocus

E
119. Edmontosaurus
119. Eoraptor
120. Epidendrosaurus

H
121. Homalocephale
121. Hypacrosaurus

I
122. Iguanodon

K
123. Kentrosaurus

L
124. Lambeosaurus
124. Leptoceratops
125. Lesothosaurus

M
126. Maiassauro
127. Mononykus
128. Masiakasaurus
129. Microraptor

N
130. Nothronychus

O
131. Ornitholestes
131. Oviraptor

P
132. Pachyrhinosaurus
133. Panoplosaurus
133. Paralititan
134. Parasaurolophus
134. Pentaceratops
135. Protarchaeopteryx
135. Psittacosaurus

R
136. Rhoetosaurus

S
137. Saichania

T
138. Tyrannosaurus
139. Torosaurus
140. Tuojiangosaurus
141. Triceratops

U
142. Unenlagia

V
143. Velociraptor

A
144. Yangchuanosaurus

SURGE A VIDA NA TERRA

PARTE I
SURGIMENTO DA VIDA E AS ERAS GEOLÓGICAS

Antes que os dinossauros dominassem o planeta, milhares de criaturas já haviam deixado seus rastros como pistas da história da vida na Terra

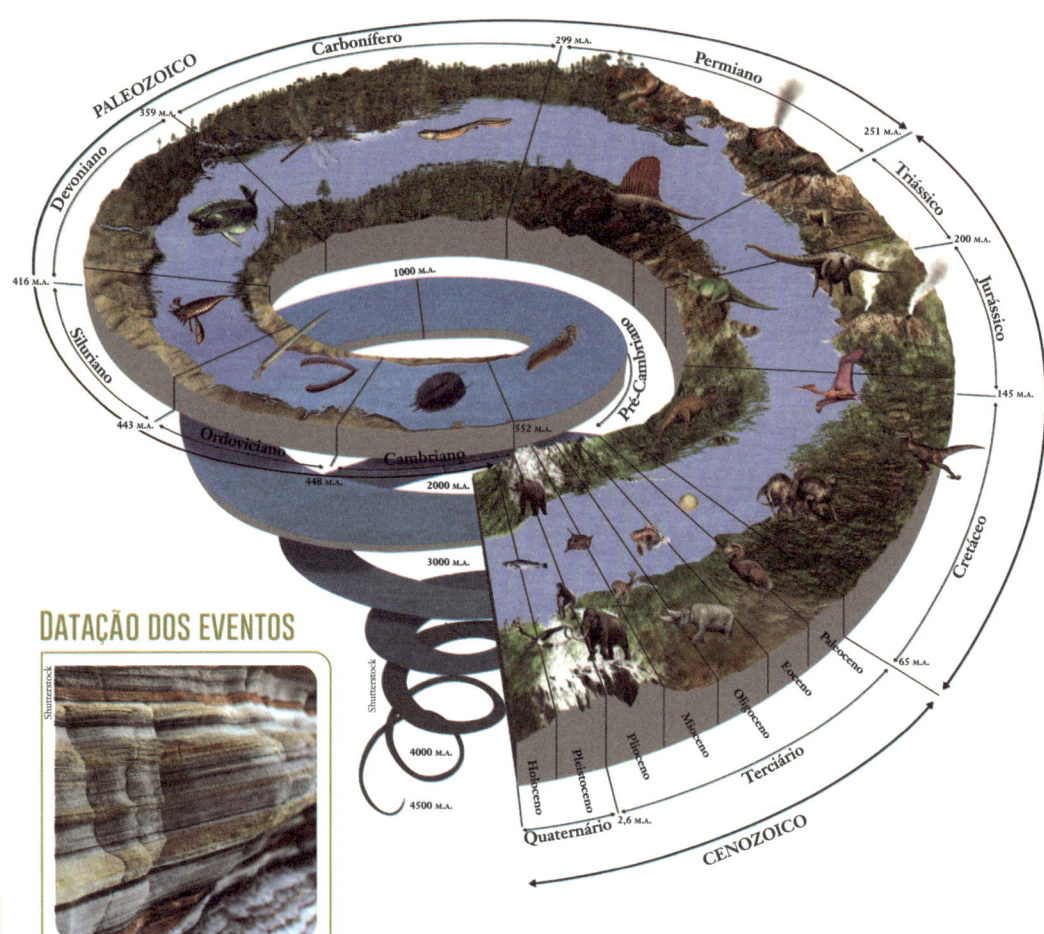

Datação dos eventos

INÍCIO DA VIDA

É possível dizer que os dinossauros – criaturas majestosas que habitaram e dominaram o planeta – surgiram há 251 milhões de anos e se extinguiram por volta de 65 milhões de anos atrás. Contudo, geólogos de todo o mundo se baseiam em um sistema muito mais simples.

"Para deixar o conceito muito mais fácil, geólogos espalharam o tempo geológico em períodos. É a mesma coisa quando nós falamos sobre a história humana.", explica o geólogo e paleontólogo escocês Dougal Dixon em sua obra The World Encyclopedia of Dinosaurs & Prehistoric Creatures.

Como a maioria das mudanças significativas na Terra ocorreu de forma lenta e gradual, levando milhares de anos para se concretizarem, seria trabalhoso demais listá-las por seus números. "Nós podemos dizer 150 anos atrás, ou 200 anos atrás, ou 600 anos atrás, mas nos dá uma ideia muito mais clara do tempo se nós dizemos a Londres Vitoriana, ou Europa Napoleônica ou América do Norte Pré-Colombiana – assim nós podemos colocar eventos dentro de seus contextos cronológicos", completa Dougal Dixon na obra.

Existem duas formas de se classificar esses eventos geológicos a fim de colocá-los de forma mais confortável e didática dentro da linha cronológica da Terra. O primeiro é por meio dos próprios eventos em si e suas "datas relativas". Por exemplo, um determinado fóssil é encontrado e, cavando durante mais algumas horas, dias ou meses, é encontrado um segundo fóssil de outra espécie. Isso significa que o segundo fóssil, encontrado bem mais fundo na terra, é mais antigo do que o primeiro que estava em uma parte mais "rasa".

Assim, em uma sequência de sedimentos rochosos, o fóssil mais antigo é sempre o que está no final da pilha. "Se um fóssil é encontrado em uma rocha em outro continente do qual geralmente aquele fóssil é encontrado, então as duas rochas terão a mesma idade, mesmo se não existirem outras pistas sobre a idade da rocha. O fóssil data a rocha", continua Dougal Dixon.

O outro método para se datar os eventos geológicos é por meio de sua "data absoluta", a qual é checada por um estudo complexo dos minerais radioativos que existem no solo ou no sedimento rochoso. Os minerais radioativos possuem um declínio particular no qual é possível medir o montante dos minerais remanescentes nas rochas e compará-lo com o resíduo já declinado para dizer a quanto tempo ele sofre esse processo e há quantos anos aquele sedimento foi formado. Muitos elementos radioativos podem ser usados nesse processo.

PRÉ-CAMBRIANO

O Pré-Cambriano é o maior Éon existente na classificação de tempo geológico, e cobre desde os princípios da criação terrestre, há 4,6 bilhões de anos, até o início da Era Paleozoica e do Período Cambriano, 542 milhões de anos atrás.

Nesse tempo, a Terra ainda produzia seus primeiros seres vivos que se assemelhavam a bactérias e outros tipos de organismos uni e multicelulares que evoluíam continuamente nas águas aquecidas pelos respiradouros vulcânicos no fundo do mar.

O Pré-Cambriano, assim, representa mais de 85 % do tempo geológico do planeta, que naqueles tempos foi se transformando gradativamente de uma massa fundida em calor para um genuíno planeta com oceanos e continentes.

As primeiras placas tectônicas, que hoje com seus movimentos são responsáveis por grandes abalos sísmicos, começavam a ser formadas há 3,8 bilhões de anos enquanto a vida evoluía. O oxigênio responsável pela construção da atmosfera terrestre só a formaria muito tempo depois.

NASCIMENTO DA VIDA

Alguns dos muitos fósseis encontrados em diversos cantos do mundo servem de evidência física, bem como fundamentam e preservam uma parte da história da vida em sua mais intrínseca essência. Graças a esses achados arqueológicos das mais variadas espécies foi possível descobrir e compreender as primeiras formas de vida da Terra, que eram compostas desde organismos unicelulares até complexas criaturas multicelulares – incluindo plantas, fungos e até mesmo animais – em tempos mais recentes.

As formas de vidas unicelulares mais simples eram chamadas de procariontes, e os traços de suas microscópicas aparições datam de aproximadamente 3,8 bilhões de anos atrás, enquanto que organismos unicelulares mais complexos, como os eucariontes, foram encontrados em fósseis com mais de 2 bilhões de anos.

SURGE A VIDA NA TERRA

Ilustração de célula procarionte, presente em seres menos desenvolvidos, como bactérias

A primeira vida

Os procariontes foram as primeiras formas de vida na Terra. Essas formas de vida unicelulares carregavam dentro de suas paredes celulares as informações de seus códigos genéticos, seu DNA, de forma desordenada. Divididos em dois grupos, Bacteria e Archaea, essas células procarióticas se desenvolveram em ambientes em que até mesmo as formas de vida mais avançadas poderiam considerar inóspitos e venenosos.

"Procariontes desenvolveram uma larga extensão de diferentes metabolismos (reações químicas para gerar energia) que pode talvez ter ajudado a produzir um planeta mais adequado para formas de vida mais avançadas", afirmam os autores David Lambert, Darren Naish e Elizabeth Wyse, na obra *Encyclopedia of Dinosaurs & Prehistoric Life*.

Eucariontes

Células mais complexas começaram, com o passar dos anos, a se desenvolverem a partir de todos os tipos de organismos mais simples por meio de um funcionamento cooperativo, chamado de simbiose, e da convivência. Assim, nessas células, a informação genética é guardada em estruturas chamadas núcleos, que por sua vez contêm os ácidos nucleicos, como o DNA, e muitas estruturas chamadas organelas espalhadas pelos seus fluidos.

Essas organelas possuem diferentes funções, sendo que muitas estão envolvidas com a criação de energia para abastecer o próprio organismo. "Organismos multicelulares, provavelmente evoluíram de células eucariontes, por volta do final do Pré-Cambriano", completam os autores David Lambert, Darren Naish e Elizabeth Wyse na obra *Encyclopedia of Dinosaurs & Prehistoric Life*.

Cyclomedusa radiata

Ediacara

Esses organismos simples e arredondados, semelhantes a um disco, são originários do Pré-Cambriano, e viveram estáticos no chão dos oceanos enquanto absorviam oxigênio da água. Assim, esses espécimes pertencem à biota Ediacarana – chamada em outros tempos de fauna Vendiana ou fauna Ediacarana – um grupo de organismos de corpo mole que foi descoberto primeiramente nas rochas ao sul da Austrália e, posteriormente, em outras partes do mundo.

A designação de biota é a mais apropriada para descrever essas criaturas, uma vez que esses fósseis são extremamente difíceis de serem interpretados, gerando dúvidas em diversos cientistas e especialistas que não tem certeza, até hoje, se eram animais ou plantas.

Dickinsonia costata

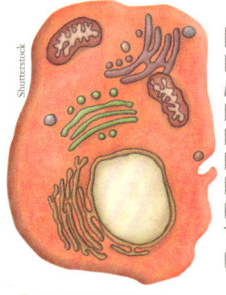

Mais evoluídas, as células eucariontes estão presentes em nosso organismo e têm núcleo organizado

Dickinsonia

Esse longo animal segmentado, que possuía entre 5 e 13 centímetros, vivia nas partes mais arenosas do fundo do oceano e, além de pertencer a biota Ediacarana, também foi descoberto na Austrália e em partes da Rússia.

Sua identidade, contudo, permanece um mistério entre os especialistas. Alguns cientistas argumentam que esse animal, quando vivo, possuía um tipo de corpo achatado e que era um verme. Outros cientistas afirmam que essa criatura possuía um corpo mole e sua estrutura era semelhante à de um coral.

BIOTA
SF. A FLORA E A FAUNA DE UMA REGIÃO, OU DE DETERMINADO PERÍODO GEOLÓGICO.
Fonte: Mini Dicionário Aurelio da Língua Portuguesa

INÍCIO DA VIDA

Biota ediacarana

A biota ediacarana recebe esse nome graças não somente ao período dentro do Pré-Cambriano em que essas criaturas surgiram, mas também às colinas ao sul da Austrália nas quais ela foi primeiramente encontrada, chamadas de "Ediacara Hill".

Os restos fossilizados dessas criaturas variavam tanto em tamanho quanto em forma. É possível ver, entre os achados, um espécime em forma de disco chamado de Mawsonites, o que

SPRIGGINA

proporcionou um relance das primeiras formas de vida multicelulares. Ainda sobre seus tamanhos e suas formas, alguns outros espécimes possuem uma vaga semelhança com criaturas que ainda hoje estão entre nós, como a Spriggina, que se assemelha a um verme. Alguns paleontologistas acreditam que a biota ediacarana – antiga fauna vendiana – inclui os primeiros e mais antigos membros de muitos grupos animais, mas os fósseis encontrados até hoje estavam muito incompletos para que se tivessem provas definitivas.

Outras teorias sugerem que os organismos presentes na biota ediacarana eram completamente independentes em seu desenvolvimento com relação à vida eucariótica e, assim, desprovidos de qualquer relação com outros organismos.

ERA PALEOZOICA

Período Cambriano

O início da Era Paleozoica é dado no mesmo momento do início de seu primeiro período, o Cambriano, que é marcado por mudanças significativas na Terra, bem como por um distinto evento na evolução das espécies.

Durante o período Cambriano, que vai de 542 a 488 milhões de anos atrás, a maioria das massas de terra que existiam no planeta se juntaram em um supercontinente chamado de Gondwana. Outras pequenas massas de terra que hoje formam a Europa, a América do Norte e a Sibéria, repousavam em áreas tropicais e em zonas temperadas do globo.

Todas essas áreas eram cercadas pelo oceano primordial que já vinha desde o Pré-Cambriano, chamado de Iapetus. Esse vasto oceano possuía um nível de água extremamente alto e não existia naqueles tempos qualquer espécie de icebergs.

Explosão da vida

Evidências indiretas confirmam que os organismos celulares complexos, originários do Pré-Cambriano, foram gradativamente evoluindo em criaturas multicelulares. Assim, a maior parte dos grupos de animais que existem hoje veio de uma evolução ocorrida no período Cambriano.

Seres de corpo mole e estromatólitos – que são colônias bacterianas originadas também no Pré-Cambriano – foram substituídos em larga escala por espécimes com partes mais duras. Uma das criaturas mais famosas desse período são as trilobitas. Assim, enquanto que em terra os seres vivos eram reduzidos apenas a micro-organismos, não havendo crescimento de nenhum tipo de espécime, no mar esse enorme crescimento na diversidade dos seres vivos é chamado de "Explosão Cambriana".

SURGE A VIDA NA TERRA

FÓSSIL DE TRILOBITA ENCONTRADO NA REPÚBLICA TCHECA

XYSTRIDURA

AS TRILOBITAS FORMAVAM UM DOS MAIS VARIADOS GRUPOS DE ARTRÓPODES DO PERÍODO CAMBRIANO E ERAM EXTREMAMENTE BEM SUCEDIDAS QUANDO O ASSUNTO ERA SOBREVIVÊNCIA. MAIS DE UM TERÇO DE TODOS OS FÓSSEIS CONHECIDOS DESSE PERÍODO SÃO DE TRILOBITAS.

AS XYSTRIDURAS POSSUÍAM MUITAS PERNAS E OLHOS COMPLEXOS FEITOS DE NUMEROSAS LENTES INDIVIDUAIS, ENQUANTO QUE SUAS LONGAS ANTENAS COMPUNHAM O TOQUE FINAL DE SUA APARÊNCIA.

OUTRAS TRILOBITAS DO PERÍODO CAMBRIANO PODIAM NÃO TER OLHOS, ENQUANTO QUE OUTRAS POSSUÍAM CARACTERÍSTICAS DISTINTAS COMO A HABILIDADE DE ESCAVAR, NADAR OU MESMO PERMANECER EM UM FORMATO DE BOLA PARA PROTEÇÃO.

Evolução dos Oceanos

Todas as formas de vida no período Cambriano eram criadas nos oceanos. A vida marinha naquele tempo, após a explosão cambriana, era tão vasta que havia animais com muitas pernas ou mesmo nenhuma.

Havia aqueles que possuíam espinhos, outros que possuíam cauda e até mesmo os que tinham partes semelhantes a ferramentas de escavação. "É como se a natureza estivesse tentando qualquer coisa apenas para ver se aquilo funcionava", explica Dougal Dixon na obra *The World Encyclopedia of Dinosaurs & Prehistoric Creatures*.

O resultado de todos esses "testes" da natureza foi o surgimento de seres com revestimentos endurecidos como conchas, que graças a isso puderam chegar aos dias de hoje como fósseis a serem estudados e proporcionando muitas pistas importantes sobre a evolução naqueles tempos.

Período Ordoviciano

O período Ordoviciano começou logo após o Cambriano, e competiu dos 488 aos 443 milhões de anos atrás. Durante este tempo, outra explosão de evolução deu lugar a milhares de novas criaturas.

Muitas delas se alimentavam dos crescentes organismos microscópicos que flutuavam nas águas do oceano, chamados de plâncton. Isso incluía os briozoários e os corais que formavam recifes que, por sua vez, eram a casa de moluscos e outros animais. Durante esse período é possível dizer que provavelmente os primeiros vertebrados começaram a dar as caras, enquanto plantas similares aos musgos evoluíam já ao final do Ordoviciano e começavam a colonizar a terra, que até aquele momento mal possuía vida alguma.

Essas plantas, apesar de começarem a colonizar a terra, ainda eram estritamente ligadas

à água, precisando dela de forma absoluta para sua reprodução. Em meio a todas essas mudanças, o planeta permanecia com seu supercontinente – o Gondwanan – enquanto o oceano Iapetus começava a se fechar aos poucos.

Posteriormente durante o período Ordoviciano o planeta sofre com um possível resfriamento e um gigantesco lençol de gelo cobre praticamente por inteiro o hemisfério sul da Terra.

INÍCIO DA VIDA

Graptólitos

Os graptólitos possuem a maioria de seus grupos datados do período Ordoviciano, contudo, alguns fósseis de graptólito são datados do período Cambriano, quando essa espécie apareceu pela primeira vez. Os graptólitos eram criaturas conhecidas por formarem colônias com estruturas interligadas em um formato de taça chamadas de thecae, cada qual habitada por um animal de corpo mole chamado de zoóide.

Contudo, alguns espécimes de graptólitos eram ligados ao chão do oceano enquanto outros flutuavam pelas águas da superfície. O Orthograptus era um graptólito que possuía duas tiras paralelas de thecae como colônias.

Strophomena

A maioria dos animais presentes no período Ordoviciano eram braquiópodes – animais marinhos de corpo mole que possuíam uma carapaça, na qual as duas conchas eram unidas por uma dobradiça – e entre eles estava a Strophomena.

De pequeno porte, a Strophomena era um braquiópode que vivia em meio às areias e à lama do fundo do mar. Sua concha poderia servir de proteção ao ser fechada.

Conodontes

Os conodontes eram criaturas semelhantes às enguias e caçavam e comiam espécimes de pequeno porte, uma vez que eles mesmos também eram pequenos. Possuíam um grupo com uma vasta quantidade de espécimes, e são conhecidos por serem um tipo de vertebrados, ou mesmo parentes próximos dos mesmos.

Estromatólitos

Muito comuns no período Ordoviciano – e progredindo em sua evolução desde o Pré-Cambriano –, os estromatólitos eram colônias de algas azul-esverdeadas que podiam se apresentar em forma de globo, como uma espécie de esponja. Esses espécimes viviam juntamente com os corais enquanto as algas verdes, ancestrais das plantas terrestres, colonizavam o habitat em águas doces.

Período Siluriano

O período Siluriano, que compete dos 443 aos 416 milhões de anos atrás, foi um período de muitas mudanças tanto no clima e no deslocamento das massas de terra dentro do globo, como para os seres vivos que vinham do período anterior.

Isso porque um evento de extinção em larga escala, logo no final do período Ordoviciano, faria com que a riqueza animal e os grandes avanços evolutivos da vida no planeta fossem reduzidos drasticamente.

Contudo, os grupos de criaturas sobreviventes – como os braquiópodes, os moluscos, as trilobitas e os graptólitos – logo recuperaram seus locais dentro da cadeia evolutiva e da biota siluriana, aumentando a diversidade do período.

Assim, novas espécies começaram a emergir de todas essas mudanças, bem como novas criaturas aquáticas e invertebradas, como os ouriços do mar primitivos que apareceram

pela primeira vez durante o Siluriano. O nível do mar subia gradativamente após o derretimento da camada de gelo formada durante o período Ordoviciano, fazendo com que o clima se tornasse menos mutável, porém muito mais quente.

O sul do supercontinente de Gondwana foi cercado por outras massas de terra, e fragmentos movidos para o norte colidiram com o continente, formando novas montanhas nas regiões da América do Norte e da Europa.

SURGE A VIDA NA TERRA

Os primeiros vertebrados

Os primeiros vertebrados que puderam ser reconhecidos como tal são proeminentes do final do período Ordoviciano e do período Siluriano. Um exemplo disso é o primeiro peixe, conhecido simplesmente como Peixe de Mandíbula.

Diferentemente das lampreias, o peixe possuía um sugador no lugar de presas, e provavelmente vivia apenas sugando os nutrientes que necessitava do fundo do mar enquanto nadava.

Contudo, uma barbatana ao longo da parte inferior de suas caudas possibilitava a eles que nadassem de cabeça para baixo. A partir desse modo de vida que foram desenvolvidas mandíbulas mais apropriadas e um esqueleto mais organizado.

Os primeiros esqueletos, que possibilitaram sua classificação como alguns dos primeiros vertebrados, não eram feitos de ossos, mas sim de cartilagem. Os peixes cartilaginosos, assim, são representados na era moderna por criaturas que também apareceram em tempos Silurianos, como os tubarões e as arraias.

O próximo estágio da evolução iria aparecer somente durante o período seguinte, o Devoniano, no qual a estrutura cartilaginosa seria envolta por ossos, que por sua vez formariam o esqueleto das criaturas que desenvolveriam placas, como uma espécie de armadura, para sua proteção.

Após esses acontecimentos, viriam algumas estruturas parecidas com as escamas que são reconhecidas até hoje nos peixes. Graças a esse desenvolvimento envolvendo a vida marinha, o Devoniano ficaria conhecido como "A Era dos Peixes".

ESCORPIÕES MARINHOS PERTENCENTES À FAMÍLIA DOS EURIPTERÍDEOS

Euripterídeos

Os euripterídeos constituem uma das ordens dos artrópodes que existiam durante a Era Paleozoica e são popularmente conhecidos como escorpiões marinhos. Esses artrópodes, parentes próximos das aranhas, tinham longas caudas e largas pinças que usavam para agarrar e desmembrar suas presas. Alguns espécimes podiam ter entre 2 e 5 centímetros de comprimento e viviam tanto nas águas doces quanto nos oceanos.

Crinoides

Os crinoides, ou lírios marinhos, eram uma das criaturas mais importantes nos oceanos do período Siluriano e muitas espécies dessa criatura sobreviveram até hoje na imensidão das águas mais profundas.

Mudança de ambiente

Enquanto todas essas mudanças estavam tomando proporções grandiosas fora da água, outro fator de extrema importância ligado à possibilidade de vida em terra também se iniciou durante o período Siluriano.

Desde o Pré-Cambriano a atmosfera do planeta estava comprometida, uma vez que uma mistura nociva de gases tóxicos tomava conta da mesma, fazendo com que a possibilidade da vida florescer se restringisse apenas ao oceano.

Contudo, gradualmente os subprodutos liberados pelos sistemas criados pelas vidas primitivas iam se infiltrando pela atmosfera e a modificando lentamente. Assim, o oxigênio – que na época era um subproduto liberado pelo processo de fotossíntese e que mantêm plantas vivas até hoje – começou a construir uma atmosfera que tornava as terras habitáveis.

Vida em terra

Além da mudança climática e ambiental significativa, que permitiu que a vida pudesse habitar a terra, e não somente o mar, o período Siluriano marca o aparecimento das primeiras plantas terrestres.

Essas plantas eram musgos e hepáticas que cresceram ao longo das margens e limites dos córregos e das lagoas. Foi a partir dessas formas de vida que surgiram as primeiras plantas vasculares.

Essas, por sua vez, possuíam uma espécie de tubo oco que ajudava a transportar a água pelos seus corpos. Por causa desses recipientes, as plantas vasculares foram capazes de crescer em abundância e em tamanhos muito maiores do que o dos musgos, o que facilitou seu distanciamento da água dos córregos e dos lagos.

Vista das formações rochosas de Visby, Suécia, originadas no Período Siluriano

"Os primeiros pastos terrestres apareceram entre as marés provavelmente durante os tempos Silurianos. Quando as plantas foram as pioneiras da vida em terra, os animais as seguiam logo atrás", conta Dougal Dixon na obra *The World Encyclopedia of Dinosaurs & Prehistoric Creatures*.

Houve ainda, naqueles tempos, um tipo de peixe que desenvolveu pulmões para que fosse capaz de respirar o oxigênio da atmosfera. Posteriormente também desenvolveu músculos que o permitiram rastejar em superfícies sólidas, bem como continuar nadando nas águas das quais veio. Assim que o continente se tornou habitável, o ambiente terrestre foi inundado com uma infinidade de criaturas vindas dos oceanos, nascendo assim um novo e complexo ecossistema, com animais nunca antes vistos.

Período Devoniano

O período Devoniano, que se estende dos 416 aos 359 milhões de anos atrás, é envolto por mudanças significativas, principalmente com relação ao clima e ao deslocamento terrestre.

O supercontinente Gondwana permaneceu na parte sul do globo, mais precisamente na área na qual está hoje o Polo Sul, enquanto que as outras massas de terra, que hoje representam a América do Norte e a Europa, se posicionaram perto do Equador.

Com isso, os níveis do mar eram muito mais altos que em outros períodos. Contudo, muitas das terras permaneciam em águas rasas, o que fez com que os recifes tropicais florescessem. Oceanos profundos ainda cobriam boa parte do planeta, que já procurava se estabilizar em um clima quente e agradável.

SURGE A VIDA NA TERRA

SELO CANADENSE DE 1991 COM A ÁRVORE ARCHEOPTERIS

AS PLANTAS DO CONTINENTE

O período Devoniano foi a época em que as plantas terrestres deram um grande passo em seu desenvolvimento. Folhas e raízes estavam evoluindo independentemente em numerosos e diferentes grupos.

Pela primeira vez, em milhares de anos, as plantas apresentavam uma evolução secundária. Seus caules, que antes cresciam apenas em comprimento, estavam se expandindo em diâmetro também. Isso permitiu que as plantas tivessem um desenvolvimento muito maior que antes, o que resultou em árvores de proporções gigantescas, além de espécies com folhagens complexas.

Os ancestrais das coníferas, por exemplo, apareceram durante o período Devoniano enquanto que somadas a outras espécies, deram origem ao que mais tarde se transformou nas imensas florestas dos períodos Devoniano e Carbonífero.

ARCHEOPTERIS

Uma das plantas de maior sucesso, e que possuía um largo campo de ocupação durante o período Devoniano, lembra claramente algumas das árvores existentes na era moderna.

A Archeopteris foi uma das primeiras plantas a terem uma altura considerável, algumas chegavam a ter 20 metros de comprimento. A planta também possuía um extenso sistema de raízes, com seu tronco e seus ramos reforçados por articulações em sua coroa.

OS ANIMAIS EM TERRA

O período Devoniano foi um dos mais importantes dentro da evolução das criaturas vertebradas, uma vez que os primeiros vertebrados de quatro membros começaram a surgir.

Os Tetrápodes, vertebrados de quatro membros, evoluíram dos antigos peixes com barbatanas de lóbulo e durante o final do período Devoniano se espalharam por todos os cantos do mundo.

O termo "tetrápode", que significa literalmente "quadrúpede", é utilizado para se referir a todos os tipos de vertebrados, com exceção dos peixes. A classificação é usada de forma tão abrangente que pode cobrir desde pássaros, que possuem apenas duas patas, até cobras que não possuem nenhuma.

Artrópodes cresceram apenas em número enquanto que as aranhas e seus parentes se tornaram mais diversos. Naqueles tempos, diversos tipos de insetos, tanto sem asas quanto os voadores, se espalhavam pelo habitat terrestre de forma tão abundante quanto os tetrápodes.

ICHTHYOSTEGA

O ichthyostega é um dos animais mais curiosos do período Devoniano. Com aproximadamente 1,5 metros de comprimento, o animal possuía uma rotina de predador nas terras ao oeste da Groelândia há mais de 375 milhões de anos.

Seu nome lhe foi dado em 1932 por Säve-Söderbergh, e significa literalmente "peixe talhado". O espécime mostra características transitórias que podem ser observadas, por exemplo, em seu crânio que se assemelha ao de um peixe, ou a sua cauda com barbatanas na ponta. Quanto as suas patas, aparentemente foram desenvolvidas para que o animal pudesse nadar e se impulsionar através de plantas aquáticas, em especial aquelas que permaneciam nas águas mais rasas.

OS PRIMEIROS ANFÍBIOS

A evolução das criaturas terrestres tinha alcançado um novo passo com os primeiros vertebrados tetrápodes, bem como com os primeiros animais que se assemelhavam aos anfíbios. Contudo, o próprio termo "anfíbio" não retrata a altura e a complexidade da variedade dessas criaturas.

O Ichthyostega foi um dos primeiros desses animais, que estavam a um passo da próxima evolução, que ocorreu apenas no período Carbonífero, em que as criaturas se tornaram capazes de respirar em terra nem precisar do ambiente aquático.

OS ANIMAIS NA ÁGUA

A vida marinha durante o período Devoniano era abundante em diversos aspectos. Peixes sem mandíbula possuíam um corpo pesadamente revestido enquan-

INÍCIO DA VIDA

to que outros peixes, esses mandibulados, também se faziam em grande número nos mares.

Entre os peixes ósseos, os que recebiam maior destaque eram os peixes com barbatanas de lóbulo, enquanto que peixes actinopterígeos – aqueles que possuíam "raios" em suas nadadeiras – começavam a se tornar mais importantes.

Outros grupos, como os amonóides e caranguejos, possuem descendentes que sobrevivem até hoje.

Dipterus

Peixes pulmonados, como os dipterus, eram um dos mais abundantes grupos de criaturas no período Devoniano. Seu sucesso na corrida evolutiva foi tamanho, que mais de cinco espécies desses peixes sobrevivem ainda hoje.

Os dipterus nadaram por águas europeias e possuíam, assim como a maioria dos peixes pulmonados, grandes e esmagadores dentes. Contudo, os dipterus se extinguiram ainda no período Devoniano, sendo presas dos placodermos.

Phacops

Os phacops eram pequenos espécimes aquáticos que pertenciam à classe das trilobitas e que viviam nas partes mais rasas e aquecidas dos oceanos. Assim como muitos dos artrópodes daquele período, seu corpo segmentado suportava até dois pares de membros.

Para sua proteção, os phacops podiam enrolar seu corpo e dobrar sua cauda debaixo de sua cabeça. Dos oito grupos de trilobitas existentes nesse período, o grupo dos phacops – juntamente com outros seis – se extinguiu no final do Devoniano.

Período Carbonífero

O período Carbonífero, que remete de 359 a 299 milhões de anos atrás, foi um dos períodos de maior mudança com relação ao tempo e ao cenário no qual viviam as criaturas na Terra, principalmente no ambiente terrestre.

As principais massas de terra, referentes ao grande continente Gondwana e a junção do que seriam a Europa e a América do Norte – denominada Euramérica –, permaneciam em constante movimentação, um em direção ao outro, para que no final do Carbonífero e início do período Permiano, se formasse o continente da Pangea.

Pântanos e florestas de carvão

A movimentação dos continentes, que dariam origem a Pangea, fez com que grandes massas de terra colidissem entre si. Dessa colisão, as enormes quantidades de detritos foram lavados pelas marés que se formavam, construindo nas partes rasas dos mares os deltas e os pântanos. Esses pântanos, por sua vez, foram um dos ambientes mais importantes de todo o período por proporcionarem o desenvolvimento de diversas plantas, como samambaias, cavalinhas e grandes árvores, bem como o dos anfíbios e dos primeiros répteis ovíparos.

013

SURGE A VIDA NA TERRA

Os instáveis ambientes dos deltas e pântanos também contribuíram para que o período fosse conhecido como a "Era do Carvão". Inundações vinham do mar, criando uma sequência de eventos na qual o delta se reconstruía, e era inundado por sedimentos dos mares e dos rios, que formavam uma terra árida que, por sua vez, recebia sedimentos dos mares novamente.

Esse ciclo, somado ao grande e constante crescimento de plantas, fez com que surgissem muitas camadas de turfa – massa de tecido de musgos e outras plantas que é produzida por decomposição associada à água – que eventualmente se transformavam em carvão, que se solidificava em rochas.

Mesmo esse ambiente imprevisível não deteve o triunfo dos primeiros artrópodes a habitarem aquelas terras, que eram no geral insetos. Eventualmente, animais vertebrados evoluíam e deixavam os oceanos para se tornarem animais terrestres, consumindo esses insetos.

Hoje, muitos fósseis são encontrados graças a esse tipo de ambiente, bem como diversas minas de carvão datadas deste período na América do Norte e Europa são exploradas.

Os amniotas

A evolução durante o período Carbonífero estava a todo vapor. Vertebrados terrestres primitivos se diversificavam enquanto os répteis e os sinapsídeos – um grupo parecido com o dos mamíferos – constituíam o principal grupo dos amniotas, vertebrados cujos embriões são envoltos por uma membrana.

Alguns animais terrestres podiam chegar até três metros de comprimento, contudo, isso não impediu que os insetos voadores e os aracnídeos – como aranhas, escorpiões e até mesmo os ácaros, sobrevivessem e evoluíssem em tamanho e diversidade.

Westlothiana

O westlothiana foi uma criatura terrestre que percorria as vegetações rasteiras que se formavam nas margens dos lagos, enquanto dividia terreno com escorpiões e milípedes, que eram muito maiores em tamanho do que os encontrados hoje.

Possivelmente, após grandes e massivos incêndios que se propagavam, os westlothianas eram obrigados a ir em direção aos lagos, em que se afogavam e se fossilizavam em rochas que estavam em contato com nascentes vulcânicas escaldantes que emergiam do fundo desses lagos.

Dois esqueletos quase completos foram descobertos em rochas próximas a Edimburgo, na Escócia, e hoje, especialistas não possuem tanta certeza de sua classificação.

As profundezas do oceano

Tubarões e peixes, que já possuíam esqueleto ósseo, eram as espécies que dominavam o período Carbonífero e as profundezas de seus oceanos. Outros peixes com raios nas barbatanas se diversificavam nesse período, assim como as trilobitas que sobreviviam em grupos pequenos.

Outras espécies como os braquiópodes, equinodermos, e até mesmo alguns grupos de moluscos habitavam os corais e recifes tropicais que se formavam durante o Carbonífero.

Goniatites

Tido como um tipo de molusco que possuía como proteção natural uma carapaça enrolada, os goniatites eram criaturas que viviam no mar e eram membros de um grupo de amniotes que dominaram a Era Paleozoica.

Vivendo em grandes grupos sobre os recifes e mares rasos, os goniatites tinham espaços ocos em suas conchas que funcionavam como uma espécie de câmara de gás, as quais essas criaturas utilizavam para boiar sobre os mares. Entre outras características físicas, esse espécime tinha olhos complexos e uma parte de sua boca era em forma de bico.

As novas plantas

Florestas exuberantes compunham uma paisagem rica em deltas e em pântanos que se espalhavam durante o Carbonífero. Cavalinhas e musgos eram abundantes na floresta e chegavam a tamanhos imensos.

As gimnospermas – grupo de plantas que não possuíam sementes protegidas por frutos – começaram a se diversificar durante o Carbonífero. Até o final do período, principalmente na Europa e na América do Norte, as planícies inundadas começaram a diminuir cada vez mais graças ao clima seco.

Equisetites

As equisetites eram um tipo de cavalinha muito abundante durante o período Carbonífero. Crescia normalmente apenas 50 centímetros, mas dominavam os bancos de terra dispostos nos limites de rios e lagos, que ainda são habitats favoráveis para o crescimento da cavalinha moderna, ou equisetum.

WESTLOTHIANA

GONIATITES

EQUISETITES

INÍCIO DA VIDA

Período Permiano Carbonífero

O período Permiano, que remete dos 299 aos 251 milhões de anos atrás, representou uma ruptura não somente na estrutura terrestre, mas também na linha evolutiva que progredia rapidamente. Isso porque as duas maiores porções de terra que existiam no planeta, que eram a Euramérica ao norte e a Gondwana ao sul, colidiram causando destruição e mudanças massivas para as criaturas terrestres e marinhas. Da colisão surgiu o continente único Pangea.

A vida em terra

A vida em terra durante o período Permiano se desenvolveu com tanto sucesso quanto a dos períodos anteriores. A maioria das criaturas vertebradas e terrestres eram sinapsídeos primitivos – que, por sua vez, compunham um grupo que incluía os mamíferos – de tamanho médio e equipados com poderosas e afiadas presas.

Essas presas possibilitavam que os sinapsídeos se mantivessem bem alimentados ao terem que lidar com uma dieta a base de carne e insetos. Juntamente com os répteis e os artrópodes, incluindo os insetos e as aranhas, esses animais prosperaram.

Dimetrodon

O dimetrodon foi um dos integrantes do grupo chamado de Pelycosauria e possuía como característica física principal os alongados espinhos que ligados formavam uma espécie de "vela" que escapava de suas costas.

"Virada para o sol no início das manhãs, a vela poderia ter absorvido o calor para dentro da corrente sanguínea e deixado o animal ativo. Se as temperaturas se tornassem muito quentes durante o dia a vela poderia resfriar o sangue no vento, como um radiador de carro", explica Dougal Dixon na obra *The World Encyclopedia of Dinosaurs & Prehistoric Creatures*.

Assim, tendo evoluído com uma diferença de 50 milhões de anos de antecedência com relação aos dinossauros, o Dimetrodon pertencia a uma linha evolutiva de répteis totalmente diferente da que os formou, se estabelecendo assim como um feroz predador terrestre em seu tempo.

A vida nos oceanos

Imensos corais construídos por briozoários (pequenos espécimes que viviam em colônias) e esponjas se proliferavam aos montes ao longo do período Permiano. Alguns répteis como o mesossauro voltariam a viver na água enquanto que, novos grupos de peixes evoluíam.

Gimnospermas e plantas

As grandes florestas carboníferas foram substituídas aos poucos pelas gimnospermas. Coníferas, bem como cícadas e ginkgo prosperavam e evoluíam. Muitas das coníferas desenvolveram folhas carnudas que foram de grande ajuda para superar os climas quentes e secos ao final do período Permiano.

Glossopteris

As glossopteris foram uma das mais importantes gimnospermas do período Permiano. Medindo cerca de 8 metros, elas domina-

Dimetrodon

SURGE A VIDA NA TERRA

GLOSSOPTERIS

ram o sul da Pangea e seus fósseis encontrados em continentes ao sul formaram grande evidência científica a favor da teoria da movimentação dos continentes.

A EXTINÇÃO

Chamado pelos especialistas de "O período da grande morte", a extinção massiva e a maior já vista em todas as eras ocorreu já no final do período Permiano, há aproximadamente 251 milhões de anos.

É estimado que 5% de todas as espécies que viviam naquele período tenham sobrevivido aos eventos catastróficos que deram fim a grupos inteiros de seres vivos. Nos mares, tanto os animais maiores, quanto as trilobitas e até mesmo os escorpiões marinhos e os corais desapareceram.

Em terra, muitos grupos de sinapsídeos e répteis foram varridos do mapa. Especialistas de muitos campos acreditam que a extinção permiana se deu de forma rápida, mas não por causa de um evento único.

"É mais provável que uma série de severos eventos graduais resultaram em uma extinção em massa. A formação do supercontinente Pangea, por exemplo, deve ter destruído importantes habitats nos mares rasos e costeiros. Mudanças climáticas e erupções vulcânicas indubitavelmente contribuíram para a extinção", explicam os autores David Lambert, Darren Naish e Elizabeth Wyse na obra *Encyclopedia of Dinosaurs & Prehistoric Life*.

OS VULCÕES

Uma das possíveis causas que levou, no final do período Permiano, à extinção em massa de quase todos os seres vivos foram as erupções vulcânicas. É sabido que essas erupções teriam acontecido nas terras que hoje constituem a Sibéria.

Aproximadamente um milhão de milhas cúbicas – cerca de 4,17 bilhões de metros cúbicos – de lava explodiram dos vulcões e cobriram enormes áreas da superfície terrestre, além de liberar na atmosfera diversos gases e poeira vulcânica.

As nuvens de poeira bloqueavam o Sol, fazendo com que as temperaturas caíssem de forma letal.

CRISE CLIMÁTICA

A crise climática também foi outro fator decisivo na extinção permiana. Rochas daquele período indicam que camadas de gelo eram formadas sobre os polos enquanto que o resfriamento também ocorria em outras áreas.

Graças a essas camadas de gelo, a luz solar era refletida para o espaço, o que acarretou em um resfriamento maior ainda tanto em terra quanto no mar. Grandes áreas no chão do oceano foram expostas a rochas de carvão graças às baixas temperaturas.

Esse carvão liberava dióxido de carbono na atmosfera que reduzia não só o oxigênio contido na mesma, como a chance de sobrevivência de diversas espécies.

OS DESERTOS

Os desertos não eram terreno propício para a sobrevivência de plantas, e tampouco das espécies que mal haviam deixado os ambientes úmidos do período Carbonífero.

Assim, quando as grandes massas de terra colidiram e resultaram na Pangea, as chuvas e as névoas que cobriam as terras durante o Carbonífero não mais conseguiam chegar até o interior do continente, o que resultou em um ressecamento daquelas terras e, por consequência, matou os animais que não conseguiam se adaptar aquele clima quente e inóspito.

INÍCIO DA VIDA

OS PERÍODOS GEOLÓGICOS

PRÉ-CAMBRIANO

ANOS
4,6 BILHÕES – 542 MILHÕES DE ANOS ATRÁS

PRINCIPAIS ACONTECIMENTOS
- NASCIMENTO DA VIDA
- FORMAÇÃO DOS PRIMEIROS ORGANISMOS UNICELULARES
- FORMAÇÃO DOS PRIMEIROS ORGANISMOS MULTICELULARES

ERA PALEOZOICA

PERÍODO	ANOS ATRÁS (EM MILHÕES)	PRINCIPAIS ACONTECIMENTOS
CAMBRIANO	542 - 488	• NASCE O SUPERCONTINENTE "GONDWANA" • SURGEM VÁRIOS GRUPOS DE ANIMAIS COM A "EXPLOSÃO CAMBRIANA"
ORDOVICIANO	488 - 443	• OUTRA "EXPLOSÃO" DE VIDA INUNDA OS MARES COM NOVAS CRIATURAS • SURGIMENTO DOS PRIMEIROS VERTEBRADOS MANDIBULADOS • PLANTAS COMEÇAM A COLONIZAR LENTAMENTE A TERRA
SILURIANO	443 - 416	• PRIMEIRO EVENTO DE EXTINÇÃO EM MASSA DO PLANETA • NASCEM AS PRIMEIRAS PLANTAS TERRESTRES • APARECEM OS PRIMEIROS VERTEBRADO
DEVONIANO	416 - 359	• EVOLUÇÃO DAS PLANTAS TERRESTRES • SURGIMENTO DOS TETRÁPODES
CARBONÍFERO	359 - 299	• MOVIMENTAÇÃO CONTINENTAL • FORMAÇÃO DOS DELTAS E PÂNTANOS • SURGIMENTO DOS AMNIOTAS • EVOLUÇÃO DAS GIMNOSPERMAS
PERMIANO	299 - 251	• FORMAÇÃO DO SUPERCONTINENTE PANGEA • EVOLUÇÃO DOS SINAPSÍDEOS • EXTINÇÃO EM MASSA

ERA MEZOZOICA

PERÍODO	ANOS ATRÁS (EM MILHÕES)	PRINCIPAIS ACONTECIMENTOS
TRIÁSSICO	251 - 199	• COM AS PRIMEIRAS ESPÉCIES TEM INÍCIO A "ERA DOS DINOSSAUROS" • SURGEM OS PRIMEIROS MAMÍFEROS
JURÁSSICO	199 - 145	• DINOSSAUROS DOMINAM A TERRA • EVOLUÇÃO DE OUTRAS CRIATURAS, COMO OS PÁSSAROS
CRETÁCEO	145 - 65	• EVOLUÇÃO DOS MAMÍFEROS • MORTE E EXTINÇÃO DOS DINOSSAUROS NÃO VOADORES

ERA CENOZOICA

PERÍODO	ÉPOCA	ANOS ATRÁS (EM MILHÕES)	PRINCIPAIS ACONTECIMENTOS
PALEOGENE	PALEOCENE	65 - 55	• SURGIMENTO DE ANIMAIS "MODERNOS", COMO CORUJAS E OURIÇOS
	EOCENE	55 - 33	• APARECIMENTO DE ANIMAIS COMO CAVALOS, ELEFANTES GATOS E CACHORROS
	OLIGOCENE	33 - 23	• EVOLUÇÃO DOS PRIMEIROS CERVO E RINOCERONTES
NEOGENE	MIOCENE	23 - 5	• EVOLUÇÃO DOS PRIMEIROS MACACOS E O SURGIMENTO DE NOVOS MAMÍFEROS
OVELHAS	PLIOCENE	5 - 1.8	• EVOLUÇÃO DA DIVERSIDADE DE BALEIAS E APARECIMENTO DAS
	PLEISTOCENE	1.8 - 0.01	• APARECIMENTO DOS PRIMEIROS HUMANOS
	HOLOCENE	0.01 - PRESENTE	• CONSOLIDAÇÃO DOS SERES HUMANOS NA TERRA E DIVERSAS EXTINÇÕES E ALTERAÇÕES GLOBAIS CAUSADAS PELOS MESMOS

SURGE A VIDA NA TERRA

AS ERAS E OS DINOSSAUROS

Durante os milhares de anos que habitaram a Terra, os dinossauros evoluíram e dominaram os mais diversos ambientes

ERA MESOZOICA

SURGE A VIDA NA TERRA

ERA MESOZOICA

Período Triássico

O período Permiano, que remete dos 299 aos 251 milhões de anos atrás, representou uma ruptura não somente na estrutura terrestre, mas também na linha evolutiva que progredia rapidamente. Isso porque as duas maiores porções de terra que existiam no planeta, que eram a Euramérica ao norte e a Gondwana ao sul, colidiram causando destruição e mudanças massivas para as criaturas terrestres e marinhas. Da colisão surgiu o continente único Pangea.

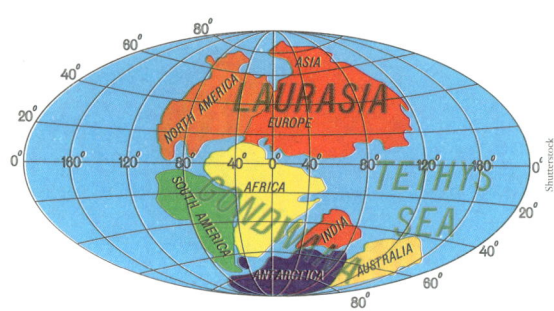

A Era Mesozoica se inicia juntamente com o primeiro período que a compõe, e ilustra mudanças significativas tanto na disposição dos continentes, quanto na vida que existia no planeta – não à toa ela é conhecida como "Era dos Dinossauros". Durante o período do Triássico, que compreende dos 251 aos 199 milhões de anos atrás, o supercontinente Pangea cercou a região do equador durante um determinado período enquanto estava cercada pelo Pantalassa – que significa "todo o mar".

Enquanto que no norte o clima permanecia mais úmido e existiam exuberantes florestas, ao sul o clima permanecia seco e árido. De região em região a fauna e a flora iam se alterando bruscamente. Essas alterações se davam pela recuperação que o continente recém-formado ainda passava do evento de extinção em massa que ocorreu no final da Era Paleozoica.

CYNOGNATHUS

O cynognathus – cujo nome significa literalmente "Mandíbula de Cachorro" – era um espécime pertencente ao grupo dos cinodontes, que eram os que mais chegavam perto dos mamíferos dentre todos os répteis.

Descoberto em 1895, o cynognathus vivia em áreas que hoje correspondem à África do Sul, à Argentina e até mesmo à Antártica. Com pernas velozes, o cynognathus possuía uma mandíbula com dentes semelhantes aos dos cachorros hoje, com incisivos na frente, caninos nas laterais e molares na parte posterior.

Isso facilitava a conquista de alimento, uma vez que o espécime caçava constantemente.

Possuía cerca de um metro de comprimento e seu focinho era peludo e com bigodes – a única característica que não o tornavam um mamífero completo eram os ossos que o animal possuía em sua mandíbula e em seu crânio, que eram exclusivos do grupo dos sinapsídeos.

CYNOGNATHUS ILUSTRA SELO COREANO DE 1991

MEGAZOSTRODON

O megazostrodon – cujo nome significa "Dente de Cintura Larga" – vivia nas terras que constituem hoje a África do Sul, e é aceito pela comunidade científica como um dos primeiros espécimes que foram considerados genuinamente mamíferos, apesar de ainda assim reter em seu desenvolvimento muitas características de um réptil. Essas características, por sua vez, apareciam apenas em sua fase adulta, na qual colocava ovos – assim como os répteis modernos e seus ancestrais. Contudo, quando jovem, o megazostrodon se alimentava por meio de amamentação.

O animal possuía cerca de 10 centímetros e vivia de uma dieta balanceada entre insetos e pequenos lagartos. A mais notável característica física, com a exceção de seu comprido corpo e cauda, e de seu cérebro de tamanho maior que o de seus ancestrais, eram seus dentes, que se assemelhavam aos de muitos mamíferos modernos.

ERA MESOZOICA

Esqueleto de Ictiossauro exposto no Museu de História Natural de Viena – Áustria, 2016

Entrada do Parque Nacional Naracoorte Caves, na Austrália

MUDANÇAS NOS OCEANOS

Durante o período Triássico foram formados corais e recifes com moluscos pertencentes ao grupo dos amonoides. Outros peixes com raios em suas barbatanas e com uma composição mais avançada, bem como tubarões e arraias substituíram as criaturas marinhas mais antigas.

Pouco a pouco o oceano tomava outra forma com relação às criaturas que o habitavam. Ictiossauros primitivos – um predador marinho com um corpo semelhante ao de um golfinho – despontavam na caça marinha.

CONÍFERAS

Graças ao clima árido que havia se formado durante o período Triássico, plantas que prosperaram durante a Era Paleozoica – que geralmente se reproduziam por esporos que eram liberados em ambientes úmidos para sua proliferação – perderam espaço nos novos climas.

Entre as mais famosas plantas estavam as Glossopteris – mais conhecido dos gêneros de samambaias com sementes da extinta ordem das glossopterídeas –, que sofreram cada vez mais com as condições secas nas quais plantas e árvores como as coníferas e as gimnospermas prosperavam. Entre os outros tipos de plantas que se estabilizaram durante o período Triássico estavam as cicadófitas e uma planta ligada às coníferas, chamada Ginko.

GINKO

Planta muito conhecida na Botânica, o Ginko é um dos espécimes que se desenvolveram durante o período Triássico e que, apesar de todos os eventos catastróficos e mudanças ambientais, sobreviveu praticamente inalterada até hoje.

Nativa das terras em que, mais tarde, estaria situada a China, a planta foi transportada ao redor de todo o globo, sendo usada em ambientes diversos como parques e jardins. Isso porque o Ginko cresce bem também em ambientes poluídos, como os das cidades. Alguns exemplares de Ginko cresciam até 35 metros de

CAVERNAS DE NARACOORTE

As Cavernas de Naracoorte são um dos mais importantes sítios arqueológicos da Austrália e patrimônio da humanidade desde 1994, e apesar de não possuírem restos fossilizados do período Triássico, o ambiente em Naracoorte é semelhante ao das terras áridas que aprisionavam diversos dinossauros milhões de anos atrás.

Já foram achados inúmeros fósseis preservados de mamíferos que viveram durante o período Neogene. Alguns dos espécimes encontrados são o Diprotodon e o Thylacoleo – este último mais conhecido como o Leão Marsupial. O clima nas cavernas também proporcionou o estudo da decomposição dos espécimes.

"Nós podemos, geralmente, dizer se um dinossauro morreu em um ambiente árido. Quando um corpo morto seca no calor, os tendões que se ligam aos ossos encolhem. Quando esses tendões secam e contraem, eles puxam a cauda para cima e o pescoço para trás, puxando o crânio sobre os ombros e as costas", explica Dougal Dixon na obra The World Encyclopedia of Dinosaurs & Prehistoric Creatures.

SURGE A VIDA NA TERRA

altura, e existe uma vasta coleção de fósseis dessa planta pelo mundo. Geralmente ela crescia em ambientes temperados e úmidos.

TERRAS ÁRIDAS

Ao sul do território que hoje é a Inglaterra havia platôs de calcário, áridos e nos quais alguns dos mais importantes fósseis datados do período Triássico foram encontrados.

Os platôs eram compostos de diversas ravinas e cavernas que possuíam próximas às suas entradas uma vegetação saudável que prosperava graças ao ar úmido que vinha do subterrâneo. Contudo, essa vegetação funcionava como uma armadilha às criaturas que não tomassem cuidado. Herbívoros eram comumente atraídos a essas áreas e, após uma longa caminhada, acabavam se perdendo e perecendo no caminho.

Uma tempestade de areia poderia ser tão mortal quanto se desviar muito de uma rota segura, especialmente para os dinossauros. Caso fossem pegos, os dinossauros presos em toneladas de areia tinham uma morte rápida por sufocamento. Porém, graças ao tipo de sedimento, os ossos dos dinossauros que tiveram esse fim permaneceram intactos, enquanto o tecido mole dos mesmos ia perecendo com o passar dos milhares de anos.

OS OÁSIS E DESERTOS

Com a formação da Pangea, o interior do continente durante o período Triássico estava sujeito a um clima árido e que, por ventura, só conseguia sustentar a vida por meio das inundações das planícies que possuíam rios.

Esses rios e córregos transbordavam com certa velocidade, trazendo, por meio das erosões que aconteciam nas terras mais altas, resíduos de areia, fragmentos de rocha e até mesmo limo que eram espalhados pelas áreas desérticas, fertilizando-as.

Um exemplo claro desse sistema de suporte de vida em meio a

áreas com terras áridas e inóspitas é o caso da civilização egípcia, que em tempo muito mais recentes que o período Triássico, se beneficiava das inundações do rio Nilo para produzir os subsídios necessários para sua sobrevivência.

Assim, foi nesse ambiente que os primeiros dinossauros herbívoros de grande porte – os prossaurópodes – prosperaram. Eles se alimentavam das plantas que cresciam próximas ao solo, contudo, também alcançavam o alto das coníferas. Já os predadores se aproveitavam do grande tamanho desses dinossauros para que, quando estivessem próximos à água, ficassem presos em areia movediça e se tornassem uma presa fácil.

PARQUE NACIONAL DA FLORESTA PETRIFICADA

O Parque Nacional da Floresta Petrificada, localizado no estado do Arizona, nos Estados Unidos, é um dos mais intrigantes e famosos ambientes quando se trata do período Triássico. Próximos ao parque foram encontrados esqueletos articulados pertencentes a terópodes carnívoros e evidências mostram que esses dinossauros morreram de desidratação, enquanto que prossaurópodes pegos pela areia movediça foram encontrados na Suíça, o que comprova a vida em ambos os ambientes.

PERÍODO JURÁSSICO

O período Jurássico, que compete dos 196 aos 145 milhões de anos atrás, abrange um período na história da Terra no qual o planeta era dominado pelos dinossauros. A Pangea estava se modificando aos poucos com a abertura de suas terras e a criação do oceano Atlântico. O Atlântico estava em processo de abertura entre as terras que hoje são a África e a América do Norte, enquanto as áreas que se tornariam a Antártica, a Austrália e a Índia começavam a se afastar lentamente do supercontinente.

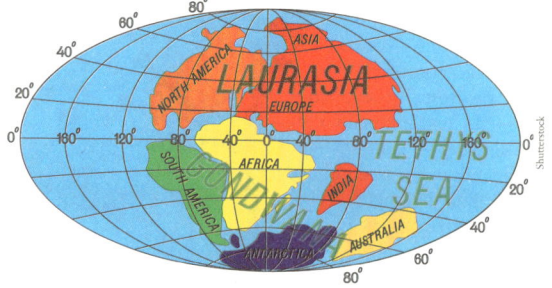

ERA MESOZOICA

Um clima quente e tropical cobria grande parte do planeta e das terras, o que por sua vez contribuía ainda mais para o crescimento de florestas repletas de coníferas e enormes árvores que se assemelhavam a palmeiras. Em alguns locais, erupções vulcânicas eram responsáveis por forçar o fundo do oceano para cima, criando imensas planícies cheias de sedimentos, bem como altas cordilheiras. Já próximo do final do período, os oceanos que estavam sendo criados lentamente já possuíam milhares de peixes e "monstros marinhos", como os plesiossauros.

O DOMÍNIO DOS DINOSSAUROS

A vida em terra, mesmo com as mudanças no supercontinente que ocorreram no período Jurássico, apenas aumentava em diversidade e em tamanho. Os dinossauros dominavam a vida em terra e, no ar, enormes vertebrados voadores – os pterossauros – colocavam sua vantagem aérea à sua disposição para a caça.

Com as separações que ocorreram no supercontinente, foi nas terras que hoje constituem a Europa que criaturas consideradas como protoaves, como Arqueópterix teriam evoluído em relativa segurança e provando que criaturas menores podiam sobreviver apesar do domínio dos dinossauros. "Dinossauros gigantes tomaram conta como os animais dominantes. Em terra, estegossauros e saurópodes com pescoços alongados eram presas dos grandes terópodes. No ar, novos tipos de pterossauros eram vistos e as primeiras aves evoluíam a partir de pequenos dinossauros predadores", explicam os autores David Lambert, Darren Naish e Elizabeth Wyse na obra Encyclopedia of Dinosaurs & Prehistoric Life.

PTERODÁCTILO

Uma das criaturas que dominaram os céus durante o período Triássico foram os Pterodáctilos. Contudo, o termo é erroneamente utilizado pela cultura popular para se dirigir a todo e qualquer dinossauro voador que seja semelhante ao pterodáctilo – ou que pertença ao grupo dos pterossauros.

De fato, os pterossauros eram répteis que desenvolveram asas e evoluíram desde o Triássico, dominando os céus do Jurássico. Porém, os pterodáctilos eram pequenos pterossauros que viviam nas costas e litorais das áreas que hoje são a Alemanha, a França, a Inglaterra e a Tanzânia.

Assim, apesar de serem caçadores, os pterodáctilos comiam apenas pequenos animais e peixes nas enseadas. Seu tamanho era em média de 30 centímetros, enquanto que com as asas abertas chegava a 2,5 metros.

LAGOAS

As lagoas que se formavam com a quebra dos sedimentos rochosos da Pangea durante o período Jurássico – no qual a água do mar ficava presa atrás dos recifes, que por sua vez criava pequenas e rasas lagoas que evaporavam com o calor tropical – eram extremamente tóxicas.

Isso porque a concentração do sal era muito elevada, fazendo com que a água matasse todo e qualquer ser vivo que se arriscasse a bebê-la. No entanto, o processo para que a água chegasse a essa concentração era longo.

Uma longa faixa de água, conhecida como Mar de Tétis, separou a Pangea e as áreas de terra que hoje são a Europa e a Ásia da África, América do Sul e Austrália. Os recifes mais profundos possuíam esponjas que iam chegando cada vez mais próximas da superfície com a movimentação das massas de terra.

Quando alcançavam o limite do oceano, essas esponjas morriam e davam chance a recifes de corais surgirem sobre a estrutura dessas esponjas, o que por sua vez, funcionava como uma espécie de represa que separa as águas do Tétis da costa do continente, criando lagoas.

Contudo, essas lagoas permaneciam com uma quantidade muito alta de sal e outros minerais que haviam vindo do fundo do oceano, e conforme a água ia

SURGE A VIDA NA TERRA

evaporando com o calor, a concentração se tornava cada vez mais tóxica, principalmente no fundo, mesmo a água sendo reabastecida constantemente pelas ondas do oceano.

"Qualquer peixe que nadasse dentro da lagoa morria e afundava até o fundo. Qualquer artrópode que rastejasse para dentro era envenenado e morria. Os corpos permaneciam sem serem perturbados, uma vez que as águas estavam envenenadas por necrófagos também", conta o geólogo e paleontólogo escocês Dougal Dixon em sua obra The World Encyclopedia of Dinosaurs & Prehistoric Creatures.

Formação Morrison

Durante o período Jurássico, e onde uma vez existiram as florestas ripárias, foi formada a unidade rochosa que hoje possui o nome de Formação Morrison. Localizada no Estado do Colorado, nos Estados Unidos da América (EUA), a formação possui aproximadamente 155 milhões de anos. Seus depósitos de sedimentos rochosos foram o lar de algumas das maiores descobertas da história com relação aos dinossauros desde que o local foi desbravado pelo paleontologista Earl Douglass, em 1909.

Hoje, a área é exposta como um Monumento Nacional dos Dinossauros, uma vez que centenas de espécimes foram descobertas naquelas rochas, revelando grandes descobertas científicas e reafirmando ou refutando outros espécimes que eram semelhantes, mas não possuíam sua ossada completa. Entre as criaturas mais famosas estão o Estegossauro, o Apatossauro, o Alossauro, o Camarassauro e o Diplodoco.

PERÍODO CRETÁCEO

O período Cretáceo foi, de certa forma, um marco dentro da evolução e da história da vida no planeta. Abrangendo dos 145 aos 65 milhões de anos atrás, foi nesta época que o supercontinente Pangea, após diversas rupturas, iria se dividir por completo.

Os continentes começariam, assim, a possuir a forma que tem hoje, embora não estivessem ainda em suas posições atuais. Com uma atividade geológica de maior intensidade, montanhas submarinas se erguiam, enquanto a altura dos mares oscilava constantemente.

Frias temperaturas se espalharam por todo o planeta no início do período, cobrindo gradativamente os pontos mais altos em terra com gelo e camadas espessas de neve. Vastas vegetações, incluindo plantas florescentes e ár-

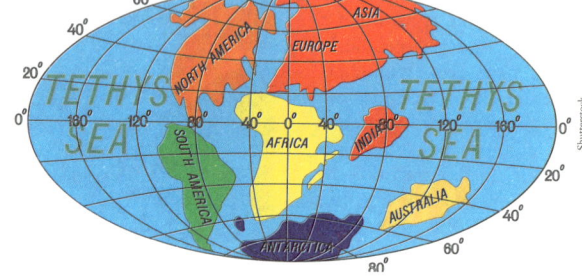

vores altíssimas teriam feito a vida dos dinossauros herbívoros muito mais fácil – uma vez que tinham um banquete à sua disposição.

Novos Dinossauros

Os dinossauros permaneciam no topo da cadeia alimentar durante o período Cretáceo, que seria o último dos períodos da grande "Era dos Dinossauros". Em terra, novos grupos de dinossauros, incluindo os Tiranossauros, os Hadrossauros e outros espécimes com chifres, se espalhavam pelos continentes ao norte.

Algumas das maiores criaturas existentes, bem como os mais temíveis predadores, viveram durante o final da era dos dinossauros, e exerceram seu domínio em terra de forma avassaladora. Entre os grandes carnívoros, não há como não dar atenção ao mais famoso deles, o Tiranossauro, enquanto outros menores, mas incrivelmente rápidos, como os raptores caçassem em igual rivalidade.

Nos mares, a competição entre as espécies permanecia tão acirrada quanto, uma vez que

ERA MESOZOICA

plesiossauros e ictiossauros eram abundantes – mesmo que esses últimos encarassem sua extinção ao término do Cretáceo.

Mosassauros – criaturas que possuíam uma forma semelhante a de serpentes – tiveram sua primeira aparição no início do Cretáceo e acabaram se tornando, ao lado dos ancestrais dos tubarões, um dos principais predadores dos oceanos. Contudo, outras criaturas se destacavam como os Pliossauros, e os Elasmossaurídeos, que por sua vez, possuíam imensos e longos pescoços.

Disputa aérea

Embora a terra pertencesse aos dinossauros até o evento de extinção em massa que os aniquilou, no ar alguns dos mais ferozes répteis voadores ainda despontavam como as criaturas dominantes mesmo depois do Cretáceo. Algumas criaturas como os pterossauros sobreviveriam e teriam ainda mais 30 milhões de anos para dominarem os céus. Contudo, já viam sua concorrência se aproximando de forma gradual.

Espécies de pássaros evoluíam e se diversificavam cada vez mais vindas do dentado Archae-

opteryx. Todas essas espécies seriam muito semelhantes às que se pode encontrar nos dias de hoje.

Terras alagadas

As terras alagadas são um dos muitos ambientes que compunham a paisagem durante o período Cretáceo. Os lamaçais que se formavam nas áreas úmidas e de clima tropical próximas às terras mais altas contribuíam para a formação de terras mais alagadiças.

Nelas, a água mudava seu curso graças aos bancos de lama e dava suporte ao crescimento de plantas que se adaptavam bem ao excesso de água e umidade. Arvoredos repletos de samambaias prosperavam nesse período, apesar de outras plantas e gramíneas

SURGE A VIDA NA TERRA

terem se desenvolvido durante o período Terciário. Ainda no período Cretáceo, criaturas como o Iguanodon pastavam por sobre as terras alagadas do norte da Europa enquanto herbívoros de menor porte como o hipsilofodonte caminhavam pela mesma região.

Contudo, os herbívoros não eram os únicos na área. Caçadores e carnívoros como o Megalossauro caçavam na mesma região do norte da Europa, enquanto que crocodilos se instalavam sob as águas juntamente com pequenas tartarugas.

FLORESTAS PANTANOSAS

As florestas pantanosas foram outro tipo de habitat que se desenvolveu ao final do período Cretáceo, mas que possuía uma aparência muito semelhante à das paisagens que conhecemos hoje. Essas profundas florestas eram um dos ambientes em que os dinossauros melhor viviam. Ornitópodes – herbívoros terrestres de tamanho pequeno e médio que acabaram se tornando os mais bem sucedidos do período Cretáceo – evoluíam cada vez mais em meio a essas paisagens.

Não somente os dinossauros evoluíram, mas as plantas também. À medida que eram devoradas por esses exímios herbívoros, as plantas pastadas tiveram de desenvolver algum tipo de estratégia para sobreviverem e se proliferarem rapidamente.

Assim, flores e sementes fechadas conseguiram desenvolver um processo em que mesmo após a principal ser destruída, ainda era possível ocorrer o processo de germinação.

Essas florestas se espalharam pelos deltas, enquanto novas formações rochosas apareciam. As florestas possuíam também coníferas primitivas, cicadófitas e samambaias, que foram de suma importância para a sobrevivência dos saurópodes – os mais importantes herbívoros desde o período Jurássico.

O QUE SÃO ASTEROIDES?

OS ASTEROIDES SÃO PEQUENOS CORPOS ROCHOSOS – QUE EM SUA GRANDE MAIORIA SE SITUAM PRÓXIMOS AS ÓRBITAS DE MARTE E JÚPITER FORMANDO O GRANDE CINTURÃO DE ASTEROIDES – QUE GIRAM EM TORNO DO SOL.

VARIAM MUITO DE TAMANHO, PODENDO TER DE ALGUNS POUCOS METROS ATÉ MESMO DEZENAS DE QUILÔMETROS, COMO ERA O CASO DO BAPTISTINA QUE DEVASTOU OS DINOSSAUROS. O DESVIO EM SUAS ÓRBITAS PODE SER DADO POR PERTURBAÇÕES DE OUTROS OBJETOS ASTRONÔMICOS EM SEU CAMPO GRAVITACIONAL.

ILHAS E A REGIÃO COSTEIRA

Durante o Cretáceo, a região costeira com suas longas praias – que em alguns casos podiam levar da América do Norte e da região do Alasca até o Golfo do México, por exemplo – serviam de estrada para os dinossauros.

ERA MESOZOICA

Em suas constantes migrações, as "rodovias dos dinossauros" eram as praias nas quais o caminhar era mais fácil, evitando não só terrenos instáveis como servindo como caminho delimitado. Enquanto crocodilos habitavam os rios que cortavam os continentes, as ilhas que eram formadas com a movimentação geológica conservavam, por assim dizer, uma parte do ambiente e das criaturas que uma vez estiveram nas terras principais.

"Em qualquer cenário, se uma ilha se tornasse uma localização geográfica permanente, a vida animal se adaptaria e evoluiria para sobreviver lá. Uma das adaptações é o desenvolvimento de formas anãs. Animais menores precisam de menos comida para sobreviver e as ilhas tem recursos naturais limitados", explica o geólogo e paleontólogo escocês Dougal Dixon em sua obra The World Encyclopedia of Dinosaurs & Prehistoric Creatures.

O ASTEROIDE

Por volta de 65 milhões de anos atrás, um asteroide com diâmetro próximo aos dez quilômetros, e que posteriormente foi nomeado como Baptistina, se desviou de sua órbita e entrou em rota de colisão com a Terra.

Na época, o grande corpo atingiu o solo de onde hoje é a península de Yucatán, no México, com uma velocidade de 72 mil quilômetros por hora – produzindo uma cratera que chegava a ter 300 quilômetros de diâmetro. A cratera, nomeada como Chicxulub, foi o ponto de partida de um impacto que liberaria uma energia 2 milhões de vezes maior que a de uma bomba de hidrogênio – que por sua vez é o dispositivo explosivo mais poderoso já criado pelo homem.

A pressão exercida sobre a superfície do planeta e que se alastrou por terra e por mar era equivalente à encontrada no centro do planeta. As temperaturas se elevaram a milhares de graus, enquanto que tsunamis monstruosos engoliam regiões inteiras, devastando tudo a sua frente.

As ondas de choque foram de tamanha violência que desencadearam também terremotos e erupções vulcânicas que engoliam, da mesma forma que os tsunamis, quase que por completo toda a vida e a evolução que existiam no planeta.

A GRANDE EXTINÇÃO

O período Cretáceo, e por consequência a Era Mesozoica, chegaram ao fim de maneira trágica e rápida, em um evento de proporções apocalípticas que devastou grande parte de toda a vida e evolução do planeta.

Essa devastação causada pelo Baptistina, contudo, gerou um efeito cascata terrível para todas as espécies apesar de cada uma ter se adaptado de formas diferentes, mesmo que tivessem sobrevivido a todos os efeitos do impacto. A queda e o choque do asteroide levantaram uma camada de detritos que cobriu a atmosfera terrestre de tal forma que a luz solar não mais podia ser aproveitada pelas plantas que dependiam da fotossíntese.

Com as plantas morrendo, muitas espécies de herbívoros morreram e foram praticamente varridas da Terra. O mesmo aconteceu com os predadores, que com a morte dos herbívoros e animais menores não tinham mais suas presas. As formas de vida oceânicas também sofreram muito com todos os eventos que se sucederam com a queda do asteroide. Ainda assim, entre os sobreviventes estavam alguns dinossauros, mamíferos, crocodilos, lagartos e alguns peixes e invertebrados que viviam nos oceanos.

SURGE A VIDA NA TERRA

ERA CENOZOICA E O PALEOGENO

O início da Era Cenozoica – período que abarca dos 65 milhões de anos até os dias atuais – foi um marco transitório, graças ao evento que causou o colapso e a extinção de todos os dinossauros do planeta

O primeiro período da Era Cenozoica – de 65 milhões de anos até os dias atuais – foi o Paleogeno, que é dividido em três épocas distintas – Paleocene, Eocene e Oligocene – indo dos 65 milhões de anos até os 23 milhões de anos.

As duas primeiras épocas do Paleogene são o Paleocene e o Eocene – que aconteceram do início da Era Cenozoica até os 33 milhões de anos – e marcam o início da vida na Terra sem a presença dos grandes dinossauros.

Após a extinção, a Terra passou por novas mudanças em seus territórios. As florestas tropicais, por exemplo, prosperaram durante esse tempo e os polos se tornaram mais congelados que antes ainda durante o Eocene.

Mesmo com a Europa e a América do Norte ainda unidas por algumas faixas de terra, a Ásia via sua independência com uma faixa de oceano que a dividia da Europa. Índia e África eram duas porções de terra que permaneciam isoladas, como uma espécie de ilhas continente.

Durante o Eocene, outra mudança brusca aconteceu com a movimentação da Austrália que, se firmando como uma porção de terra distinta, se separava da Antártica e adquiria sua independência de outros continentes.

A VIDA EM TERRA

O recomeço da vida em terra, no início da época Paleocênica, não contava com grandes e monstruosos animais. De fato, a população terrestre foi sendo restabelecida aos poucos com mamíferos de maior porte.

Esses mamíferos – ainda muito pequenos – foram alguns dos poucos sobreviventes da extinção cretácea. Entre eles estavam os pássaros, morcegos, roedores e alguns dos mais antigos primatas.

Outros grupos de pássaros começaram a surgir ainda no final da época Paleocênica, como corujas, andorinhas, garças e águias. Já na época Eocênica, crocodilos, lagartos, sapos e tartarugas começavam a prosperar nas florestas tropicais, enquanto as cobras achavam nos roedores suas novas fontes de alimento.

GASTORNIS

O Gastornis foi uma ave gigante, não voadora e terrestre, que viveu durante a época Paleocênica e Eocênica, nas terras que hoje são a América do Norte e a Europa. Ela media cerca de 2 metros.

Entre suas principais características estavam a de ser uma ave alta, com asas curtas e sem função e pernas longas que lhe proporcionavam chutes potentes, além

GRAVURA DE 1880 DE UM LÊMURE DO PERÍODO EOCÊNICO

GATORNIS

de rapidez na corrida. Seu poderoso bico sugere que esta ave tinha força suficiente para quebrar até mesmo ossos. É mais próxima, em questão de desenvolvimento, dos patos, gansos e afins.

ERA CENOZOICA

A vida marinha

A vida marinha após a extinção cretácea também se modificou drasticamente. Ela permaneceu em constante evolução e foi ficando cada vez mais estabilizada em termos de criaturas durante essas épocas.

Os peixes, por exemplo, tomavam a forma atual e novos grupos de crustáceos e moluscos evoluíram. Mamíferos também se arriscaram na vida marinha, e foi assim que as primeiras baleias e morsas surgiram.

Por outro lado, os pinguins se diversificaram e tomaram uma proporção muito maior que a conhecida hoje. Algumas formas de pinguins gigantes podiam alcançar até 1,5 metros de comprimento.

Florestas tropicais

Ainda durante as primeiras duas épocas da Era Cenozoica, as florestas tropicais tomavam conta da maior parte do mundo, e até mesmo a Europa estava tomada por pântanos com samambaias, cavalinhas e palmeiras.

Bosques com videiras e árvores cítricas cresciam em conjunto nesse cenário, como avelãs, castanhas, magnólias e álamos.

Com a queda de temperatura no planeta, já no final do Eocene, as árvores coníferas se instalaram em latitudes maiores enquanto as florestas tropicais recuaram aos poucos para as áreas mais equatoriais.

Oligocene e Miocene

As épocas Oligocênica e Miocênica – que correspondem dos 33 milhões de anos até os 5 milhões de anos – são o período transitório da última época do período Paleogene e da primeira época do Neogene.

Durante o Oligocene, o mundo tomava uma forma mais consistente e semelhante a que se conhece hoje. A América do Sul, por exemplo, se separou da Antártica o que permitiu a criação dos oceanos naquela região como são hoje.

As correntes marítimas puderam, pela primeira vez na história do planeta, transitar livremente pela Antártica. A capa de gelo daquela região começou a se intensificar de modo que o clima na parte sul do globo se reesfriou drasticamente.

Já durante o Miocene – primeira época do período Neogene – a Índia colidiu com a Ásia, de modo a formar o que hoje é conhecida como cadeia do Himalaia. Também a África se conectou à Eurásia – formada pela junção da Europa com a Ásia.

A vida em terra

A vida continuou a se desenvolver durante o Oligocene e a passagem para o Miocene, e diversos animais modernos evoluíram nesse tempo, como os macacos, que aos poucos substituíram os primatas mais primitivos.

Um desses primatas – que possuía o tamanho de um gato doméstico e já foi descoberto em restos arqueológicos - foi o Aegyptopithecus, um dos primeiros grupos de macacos do antigo mundo e que viveu nas terras que hoje competem ao Egito.

Esses macacos – que antes eram primordiais nas terras que hoje competem à África – migraram de pouco em pouco para colonizar a América do Sul. Nesse tempo, outros mamíferos emergiram na medida em que as vegetações começaram a se espalhar.

Entre eles, estavam os cavalos, os elefantes e até mesmo os camelos, bem como novas e modernas formas de animais carnívoros, entre pássaros, lagartos, sapos e cobras.

Os mares

Ainda durante a época Miocênica, outros tipos de peixes muito conhecidos hoje estavam despontando como espécies em abundância nos mares, como a cavala,

FÓSSIL DE PEIXES DA ÉPOCA EOCÊNICA

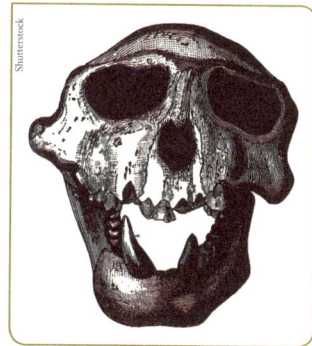

CRÂNIO DE AEGYPTOPITHECUS, UM DOS PRIMEIRO PRIMATAS DO MUNDO

SURGE A VIDA NA TERRA

PEIXE EVOLUÍDO AINDA NA ÉPOCA OLIGOCÊNICA E PRESENTE ATÉ HOJE EM ÁGUA DOCE

e os grandes tubarões, entre eles o grande tubarão branco.

Outros peixes já vinham evoluindo e tomando seu lugar desde o Oligocene, como o Leuciscus, um peixe que sobreviveu até os dias de hoje e permanece ativo nos rios e lagos da América do Norte, Ásia, Europa e África.

Habitante de águas doces, o Leuciscus pertence ao grupo dos peixes gato e das carpas, e sua boca desdentada é usada para se alimentar de plantas aquáticas. Na época em que surgiu, carpas, peixes gato e outros também apareciam em águas doces. As baleias modernas também se desenvolveram nesse período, assim como as focas.

TERRAS TEMPERADAS

As florestas tropicais do Oligocene e do Miocene foram gradualmente dando espaço às vegetações mais rasteiras, como as gramíneas – que eram plantas terrestres que podiam crescer sem a ajuda de muita água.

As baixas temperaturas restringiram essas florestas e permitiram que as vegetações mais secas permanecessem em evolução, como as paisagens repletas de ervas espalhadas – formando as Savanas.

Ao sul foram formados ambientes de pradarias enquanto que ao norte as florestas temperadas cresceram repletas de coníferas, carvalhos, olmos e salgueiros.

PLIOCENE

A época pliocênica – que compete dos 5 milhões de anos aos 1,8 milhões de anos – não foi uma época de tantas transformações ao se tratar da movimentação dos

MOLARES DE UM MASTODONTE, UMA DAS ESPÉCIES DE ELEFANTE QUE DESPONTAVAM DURANTE A ÉPOCA PLIOCÊNICA

continentes, mas sim das ligações entre eles. A ponte de terra entre a América do Norte e do Sul foi formada e, assim, os animais terrestres que desejassem poderiam transitar livremente entre ambos os continentes. Contudo, as correntes marítimas que antes transitavam por aquele canal, foram bloqueadas.

A Índia continuava fazendo pressão de encontro à Ásia, de modo a fazer com que o Himalaia continuasse a crescer. O clima voltou a esfriar e a Antártica congelou ainda mais.

O PASTOREIO

As criaturas terrestres presentes na época Pliocênica eram muito similares às formas que tomam hoje. Camelos, cavalos, antílopes e elefantes despontavam e se tornavam mais diversos, além de aproveitarem as terras cheias de gramíneas para pastar.

Os primeiros tigres dente de sabre caçavam entre as florestas das Américas, da África, Ásia e mesmo Europa, e os primeiros humanos começavam a evoluir vindos de seus ancestrais, semelhantes a macacos.

BALAENA: GIGANTE DO PLANETA

A DIVERSIDADE

Nos oceanos a diversidade se tornava mais evidente à medida que novas baleias, dessa vez mais largas e com um comprimento maior, substituíram suas antepassadas mais primitivas.

Entre as espécies que sobrevivem até os dias de hoje estão os Cachalotes e alguns tipos de golfinhos. É preciso estar atento ao contexto da movimentação dos continentes nesse aspecto.

Algumas espécies ficaram – com a movimentação das Américas e o bloqueio da ligação entre os oceanos Pacífico e Atlântico – presas e, como resultado, continuaram a se desenvolver de forma quase restrita aos mares do Caribe.

A Balaena – ou Eubalaena – foi uma dessas criaturas caçada até quase à extinção pela raça humana. É um dos mais majestosos e gigantes animais do planeta, medindo cerca de 20 metros. Sua boca agia como uma espécie de filtro para suas refeições.

O DESAPARECIMENTO

PAMPAS: VEGETAÇÃO EM CRESCIMENTO NO PLIOCENE

Durante o Pliocene as condições climáticas se tornaram bem mais instáveis, fazendo com que as vegetações rasteiras – como a grama, por exemplo – se espalhasse rapidamente em meio ao clima seco.

Os pampas e as estepes áridas cresciam cada vez mais e tomavam o lugar das quentes e florestadas savanas da época Miocênica e, como resultado, os animais de pastoreio que podiam aproveitar as vegetações rasteiras tomavam o lugar dos animais que migravam de lugar em lugar em busca de comida.

Plantas tropicais começaram a desaparecer das grandes altitudes e florestas começaram a se adaptar ao frio, sendo formadas por coníferas, bétulas e outros tipos de árvores que tomavam as terras que hoje são a América do Norte, Europa e Ásia.

Vales e rios de todo o hemisfério norte do planeta estavam tomados por salgueiros e árvores frutíferas que, por sua vez, se difundiriam ainda mais pelas idades glaciais da próxima época.

GRAMA: IMPORTANTE GRUPO DE PLANTAS QUE CRESCEU NA ÉPOCA PLIOCÊNICA

GRAMA

A grama foi um dos mais importantes e emergentes grupos de plantas que cresceram na época pliocênica e vivem até os dias de hoje. Desde aqueles tempos a grama tem proporcionado abrigo e comida para diferentes e incontáveis grupos de animais que a veem como fonte de vida.

Isso se deu por esta planta conseguir se adaptar e crescer em ambientes secos e até mesmo áridos. Sua diversificação já se iniciava na época Miocênica, apesar de tomar uma maior forma no Pliocene.

Os ventos foram de grande ajuda para espalhar esse tipo de vegetação, uma vez que carregava a maioria das sementes dessa planta para onde quer que soprasse – o que fez com que a grama estivesse em todos os lugares, desde leitos dos rios, até em uma planície inteira.

Graças, também, ao sistema de crescimento da planta que é feito em sua base – e não da parte de cima, ou do topo, como outros tipos de plantas – a grama consegue repor seu tamanho perdido de maneira estrondosamente rápida, principalmente em casos de fogo ou pastoreio, o que a torna ainda mais viável para os animais que habitavam essa época.

PERÍODO QUATERNÁRIO E O PLEISTOCENE

O Pleistocene é a época que marca definitivamente a entrada no período moderno – o que vivemos hoje – que no caso, seria o período Quaternário. Esse período, por sua vez, abarca dos 1,8 milhões de anos até os dias atuais.

Já o Pleistocene é a época que vai dos 1,8 milhões de anos até os 11 mil anos. Nela, o planeta também passa por grandes mudanças climáticas e presencia o nascimento e a queda de diversas espécies de plantas, animais entre outras criaturas e seres.

Os grandes lençóis de gelo começaram a cobrir a América do Norte, a Europa e a Ásia, enquanto o sul da América do Sul, a Austrália e a Nova Zelândia, bem como a própria Antártica eram regiões com uma temperatura muito mais baixa que a de hoje.

Enquanto isso, os oceanos eram muito mais profundos que os da atualidade. Essa diferença podia chegar a até 100 metros de profundidade a mais que a atual.

SURGE A VIDA NA TERRA

O Homo Sapiens e a Vida em Terra

Com a queda das temperaturas na porção norte do globo, criaturas que antes estavam habituadas a permanecer no calor tiveram que migrar para as regiões ao Sul,

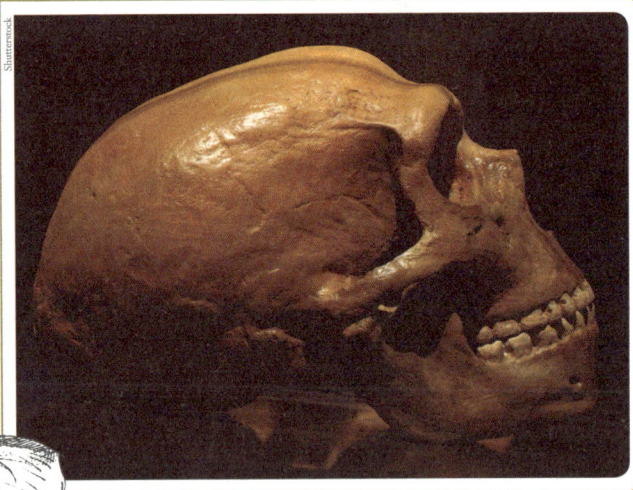

CRÂNIO DE NEANDERTHALENSIS

HOMO SAPIENS NEANDERTHALENSIS

caso quisessem uma chance de sobreviver.

Entre as criaturas, estavam lagartos, cobras e os lissanfíbios – um grupo ou uma subclasse que engloba todos os anfíbios viventes. Em seu lugar permaneceram os mamíferos que se desenvolveram em numerosos grupos e se adaptaram melhor ao clima gélido das terras ao norte.

Mamutes, leões das cavernas, cervos gigantes e rinocerontes faziam parte das novas criaturas adaptadas àquelas temperaturas e a espécie humana começava a dar seus primeiros passos na África, Europa e Ásia, afetando diretamente a diversidade dos animais. O Homo Sapiens surgiu no final da época Pliocênica na África, e durante o Pleistocene se espalhou para o leste e o norte e eventualmente – durante alguns milhares de anos – evoluiu o bastante para colonizar a Europa, a Ásia e as Américas.

O Homo Sapiens foi a mais severa e bem fundamentada estrutura humana em meio às outras espécies de Homo vivas durante esta época, provavelmente por possuir uma linguagem e uma cultura mais complexas bem como entender o funcionamento de ferramentas simples e como outras espécies se comportavam.

Os Oceanos e o Clima

A vida não mudou muito durante essa época dentro dos rios e oceanos. Apenas corais e outros animais de recifes foram afetados pelos níveis do mar, enquanto outros animais, como pássaros e outros mamíferos aquáticos, migraram para outros locais pelas mudanças climáticas.

Também, essa mudança climática resultou no fim das estepes e a vegetação rasteira continuou a prosperar, se espalhando pelas áreas mais ao norte enquanto outras vegetações despontavam entre o clima gélido e o temperado, como a Taiga.

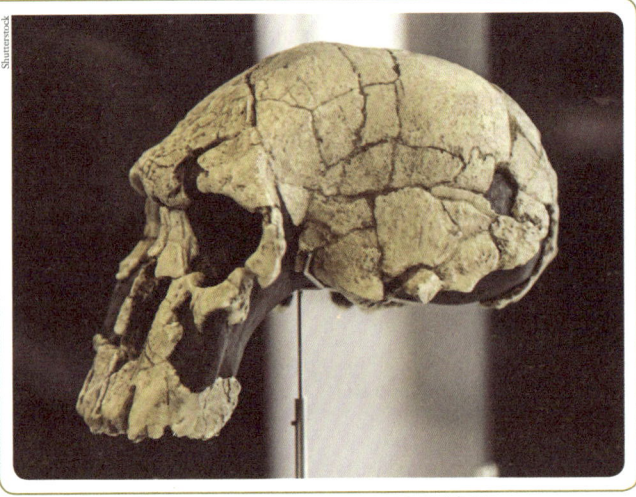

ACHADO ARQUEOLÓGICO DE UMA CAVEIRA HUMANA PRÉ-HISTÓRICA

ERA CENOZOICA

Holocene

O Holocene é a época atual em que o planeta se encontra, e vai desde os 11 mil anos até hoje. Nela os níveis do mar cresceram na medida em que o gelo formado no Pleistocene começou a derreter. O aquecimento global causado pela poluição continua a ameaçar a vida na terra. Em termos de mudanças territoriais e continentais, não houve alterações significativas, salvo a passagem entre a Ásia e a América do Norte que está embaixo d'água e a contínua movimentação da Austrália em direção ao norte.

O PANDA GIGANTE, EVOLUÍDO DESDE O PLEISTOCENE, AINDA ESTÁ AMEAÇADO DE EXTINÇÃO

UMA DAS CRIATURAS MAIS AFETADAS PELA MUDANÇA CLIMÁTICA FORAM OS PINGUINS

Fim da diversidade

O Holocene é marcado por um período de mudanças significativas causadas pela ação do homem – algo que não existia em tempos mais antigos – o que alterou o curso dos eventos naturais, bem como do desenvolvimento das espécies e da natureza. O resultado dessas ações foi o longo e contínuo decrescimento das espécies, tanto em variedade como em quantidade. Assim, a espécie humana se reproduziu de maneira desenfreada enquanto as outras espécies sofreram com seu domínio em escala mundial.

Isso significou o declínio de animais e outros seres vivos até nos locais mais remotos do globo, por uma série de motivos, sendo o principal para sustentar o crescimento dessa população humana.

"Eles tem caçado criaturas até a extinção, e criado poluição que ameaça a vida animal e das plantas a nível global" afirmam David Lambert, Darren Naish e Elizabeth Wyse, na obra "Encyclopedia of Dinosaurs & Prehistoric Life".

A Extinção nos Oceanos

Assim como em terra, os seres humanos, com o seu desenvolvimento e crescimento desenfreado da população, viram nos oceanos uma nova forma de explorar a natureza em seus mais diversos aspectos. A destruição causada pelo ser humano em um nível global dentro dos oceanos também é preocupante. Um exemplo disso é a extinção de algumas espécies de morsas e focas, bem como a caça de algumas espécies de baleia – entre 1850 e 1950 – que quase desapareceram.

"A indústria dos pescados tem mudado o balanço da vida nos mares, enquanto rios e oceanos estão cada vez mais sendo usados como depósitos de lixo para químico, esgoto e resíduos sólidos", explicam David Lambert, Darren Naish e Elizabeth Wyse, na obra "Encyclopedia of Dinosaurs & Prehistoric Life".

A influência humana na natureza

Incontáveis mudanças foram feitas pelo ser humano também na flora e no ambiente de algumas espécies de plantas a nível global. As florestas de coníferas, por exemplo, que resistiram ao aquecimento do planeta e a era moderna foram destruídas pelos seres humanos.

Isso inclui também as terras mais alagadiças e as florestas tropicais, ambas ao lado das florestas de coníferas, destruídas e drenadas para implantação da agricultura e do cultivo de algumas espécies selecionadas de plantas e gramíneas, em especial as que são produtoras de grãos.

A BALEIA AZUL, APÓS A INVENÇÃO DO ARPÃO EXPLOSIVO, QUASE FOI EXTINTA

CONHECENDO OS DINOSSAUROS

ORIGEM E ANATOMIA

PARTE II
A ORIGEM DOS DINOSSAUROS

Os dinossauros dominaram o planeta por mais de 150 milhões de anos e se transformaram em algumas das criaturas mais belas e temidas de todos os tempos

CONHECENDO OS DINOSSAUROS

O que é um dinossauro

Os dinossauros figuram como algumas das mais bem-sucedidas criaturas que existiram na Terra e, de fato, dominaram o planeta durante milhares de anos, no período classificado pelos cientistas como a Era Mesozoica.

Foram precisamente 150 milhões de anos, nos quais os dinossauros herbívoros gigantescos – alguns com a altura de prédios pequenos – se banqueteavam em florestas gigantescas enquanto os diminutos – e mesmo assim gigantes se comparados às criaturas modernas – carnívoros buscavam em outras espécies o alimento necessário a sua sobrevivência.

Em termos gerais, os dinossauros são répteis e assim como os répteis modernos, punham ovos com casca. Estudos referentes à anatomia dos dinossauros – independente de qual sua classificação ou característica – os coloca como criaturas muito semelhantes aos crocodilos e as aves.

Outras características que os colocam como semelhantes das aves – grupo sobrevivente até os dias de hoje – são as modificações nas patas, os ossos delicados de seus membros e o formato dos crânios, maxilares e tornozelos articulados.

Origens dos dinossauros

As origens dos dinossauros são imprecisas. Os mais antigos fósseis vieram de rochas datadas do final do período Triássico, e possuíam por volta de 225 milhões de anos.

Ainda provenientes desta mesma época, vieram os restos fossilizados dos primeiros prossaurópodes, dos primeiros ornitísquios e terópodes. É possível assim que tenham vindo, não somente do mesmo período, mas também de um ancestral em comum.

Uma das evidências que sustenta essa teoria é o fato de os três grupos possuírem semelhanças particulares com relação a seus traços evolutivos – como as estruturas de sustentação das pernas e do quadril.

"Como esses dinossauros diferentes surgiram no começo do final do período Triássico, seu ancestral só pode ter vivido numa época ainda anterior", explica o especialista Paul Barrett na obra "Dinossauros: Uma História Natural".

O Lagosuchus

Achado em território argentino, durante a década de 1970, o pequeno réptil chamado Lagosuchus viveu ainda durante o final do período Triássico, há cerca de 230 milhões de anos, e foi fundamental para o entendimento da origem dos dinossauros.

Isso porque o Lagosuchus não era um dinossauro, mas sim um dinossauromorfo. Esse termo é usado para descrever um grupo maior de criaturas que abarca tanto os membros do grupo Dinosauria – que contém os dinossauros – como criaturas diferenciadas como o Lagosuchus.

Essa criatura está – juntamente com seus parentes próximos, o Marasuchus (Crocodilo-Mará) e Lagerpeton (Réptil-Coelho) – cotada como um dos mais antigos bípedes conhecidos, possuindo um corpo leve e membros traseiros longos e finos.

Seu desenvolvimento foi um dos grandes acontecimentos da evolução, pois até então o Lagosuchus foi o primeiro animal da história a andar em duas patas, como um bípede, enquanto todos os outros eram quadrúpedes.

Ancestral comum

Tanto os primeiros dinossauros quanto o Lagosuchus possuem estruturas muito similares em

Comparação entre Alamosaurus (Saurópode) e Tyrannosaurus (Terópode)

ORIGEM E ANATOMIA

TERÓPODES

suas pernas, sendo diferentes apenas por uma questão de detalhes entre ambas.

Outra evidência de que ambos possuíam um ancestral comum vem por parte de sua cauda, que era utilizada como uma espécie de contrapeso em função de seu fino e delicado pescoço. Seu corpo era curto e compacto – uma característica presente, por sua vez, nos dinossauros terópodes e ornitísquios – que também pode ser tomado como um traço vindo de um ancestral comum.

Contudo, mesmo com todas essas evidências físicas, esse ancestral comum nunca foi encontrado, o que torna tudo apenas uma teoria, não havendo possibilidade de confirmação.

A EVOLUÇÃO DOS DINOSSAUROS

A evolução dos dinossauros está diretamente ligada a sua classificação. A ciência, após séculos de estudos e análises descritivas precisas e imprecisas sobre os dinossauros, os classificou dentro de diversos grupos, classes, famílias e outros ordenamentos.

ALLOSAURUS ERAM TERÓPODES

Um exemplo de classificação referente a um determinado traço físico de um dinossauro seria a do Stegosaurus. Esse dinossauro é reconhecido de forma distinta dos demais, compartilhando um mesmo grupo, criado especialmente para os dinossauros que dividem a característica de terem espigões e grandes placas ósseas em seu dorso e sua cauda.

"Os cientistas elaboraram uma espécie de "árvore genealógica" dos dinossauros chamada de cladograma. [...] A identificação dessas características nos esqueletos permite aos cientistas deduzir as relações entre os vários tipos de dinossauros", afirma o especialista Paul Barrett na obra "Dinossauros: Uma História Natural".

Assim, ao longo da história da paleontologia e do estudo dos seres vivos antigos, os dinossauros receberam essas divisões especiais. Contudo, eles podem ser divididos

ALAMOSAURUS: DINOSSAURO PERTENCENTE AO GRUPO DOS SAUROPODOMORPHA

ORIGEM TROCADA

VOCÊ SABIA QUE AS AVES NÃO VIERAM DOS DINOSSAUROS COM QUADRIL DE AVE? APESAR DA SEMELHANÇA EM TERMOS ESTRUTURAIS, QUEM ORIGINOU AS AVES – E ASSIM SÃO OS ANCESTRAIS DIRETOS DAS MESMAS – FORAM OS DINOSSAUROS COM QUADRIL DE LAGARTO.

CONHECENDO OS DINOSSAUROS

em dois grandes grupos maiores, para facilitar o trabalho dos paleontólogos.

Ornitísquios

Esses grupos foram formados com base no formato dos ossos do quadril de cada dinossauro. O primeiro é o grupo dos Ornitísquios, que recebe os dinossauros com o quadril mais parecido com o das aves.

Dentre os integrantes deste grupo de dinossauros, é merecida a ênfase aos mais famosos e conhecidos participantes, tais como os grupos Ornithopoda, Ankylosauria, Stegosauria, Ceratopsia, e Pachycephalosauria.

Esses são grupos bem distintos. O dos Ornitópodes (pertencentes a Ornithopoda) tais como o Iguanodon e o Hypsilophodon, podiam ser tanto bípedes quanto quadrúpedes e possuíam um focinho mais alongado.

Já os acilossauros, membros do Ankylosauria, tinham como principal representante o Ankylosaurus com o corpo encouraçado, enquanto os pertencentes ao Stegosauria, como o Stegosaurus e o Kentrosaurus – tinham como principal característica o conjunto de placas ósseas e os espigões.

Os ceratópsios – pertencentes ao grupo Ceratopsia, e que tem como principal membro o Triceratops – geralmente possuem um conjunto de chifres de diferentes formatos na cabeça, bem como uma placa óssea projetada em seu crânio.

Por fim, os Paquicefalossaurídeos, pertencentes ao último grupo mencionado, tinham um crânio mais alto e ossos maciços compunham uma camada grossa sob ele. O principal representante é o Pachycephalosaurus.

Sauríquios

O outro grupo é o dos Sauríquios que recebe, por sua vez, os dinossauros que possuem o quadril com traços semelhantes aos dos répteis. Esse, mais simples, possui apenas dinossauros de dois outros grupos, o Theropoda e o Sauropodomorpha.

Ambos possuem características e representantes quase tão exclusivos e diferenciados, que são quase o oposto um do outro. Os terópodes – pertencentes ao grupo dos Theropoda – eram em sua maioria carnívoros e bípedes, com dentes serrilhados para romper a carne e estraçalhar a vítima de seus ataques.

Seus principais representantes sequer precisam de uma introdução formal. O terópode mais famoso é o Tyrannosaurus, acompanhado por outros dinossauros com o mesmo potencial predatório, como o Allosaurus e o Oviraptor.

Já os integrantes do Sauropodomorpha são divididos em dois subgrupos, o Prosauropoda e o Sauropoda. Em sua maioria, am-

Abelisaurus

Allosaurus

ORIGEM E ANATOMIA

bos os subgrupos possuem dinossauros herbívoros e quadrúpedes com um pescoço muito longo e corpos gigantes, enquanto a cabeça é frágil e pequena.

"Algumas características os diferenciavam, como o número de ossos do pescoço (os saurópodes têm pescoço bem mais longo). O Plateosaurus é um exemplo de prossaurópode; entre os saurópodes encontram-se o Diplodocus e o Brachiosaurus", completa Paul Barrett, em sua obra "Dinossauros: Uma História Natural".

A ANATOMIA DE UM DINOSSAURO
OS TERÓPODES

Os terópodes apareceram durante o começo da Era dos Dinossauros, ainda no começo do período Triássico, e sua anatomia se constitui como uma das mais básicas de todos os grupos de dinossauros já descobertos.

Esses dinossauros, por sua vez, possuem um corpo projetado especialmente para a caça – uma vez que são bípedes e carnívoros – podiam ser extremamente velozes e perigosos a qualquer que fosse sua presa.

As primeiras partes dos terópodes que faziam contato com a presa eram sua cabeça, suas mandíbulas e seus dentes, sua principal arma. Seus braços geralmente possuíam garras afiadas, mas pelo comprimento ser muito curto, não eram muito utilizados e impossibilitavam que ele andasse como um quadrúpede, por exemplo.

Seu corpo era pequeno – se comparado ao dos saurópodes – e se encaixava nas necessidades de um carnívoro, uma vez que suas pernas eram poderosas e seus músculos firmes faziam deles excelentes corredores. Sua cauda foi desenvolvida para ser grande e pesada, para que ajudasse no trabalho de balanceamento do corpo nas corridas, bem como em manter seu tronco e o restante de seu corpo sempre levantado.

Hoje, sabe-se que alguns terópodes possuíam sangue quente – o que não significa que eles tinham sangue em altas temperaturas, mas que seu sangue fazia parte de um mecanismo para fazer com que a temperatura corporal fosse a mesma do ambiente externo – exatamente igual aos pássaros e mamíferos, que também são animais de sangue quente e descendentes diretos dos terópodes.

CARACTERÍSTICAS E ÓRGÃOS

Ao contrário do que aparentam, os dinossauros tinham as mesmas estruturas internas que um humano só que adaptadas a seu tamanho e suas necessidades. Assim, seu crânio apresentava as características de qualquer ser vivo com os cinco sentidos e o início do aparelho digestivo. Língua, traqueia (para passagem de ar) e esôfago (para passagem de comida).

Os dentes de um terópode podiam ser bem afiados e com serrilhas finas e resistentes a fim de partir a carne das refeições do dinossauro. Já seu sistema respiratório se iniciava no focinho, com as narinas. No peito, o dinossauro terópode possuía um coração, um estomago (um pouco mais abaixo, próximo à barriga) e um pulmão. Seu sistema respiratório era semelhante ao dos pássaros modernos, ou seja, ele possuía um saco de ar.

Esse saco de ar, em adição ao seu pulmão, servia para ajudar o dinossauro a captar o oxigênio e encher seu pulmão, com a finalidade de dar mais oxigenação aos músculos e assim mais energia e disposição. Mais próximo ao quadril, se tem os rins e o intestino, que era pequeno se comparado ao dos saurópodes, uma vez que carne é um alimento de fácil digestão.

ACROCANTHOSAURUS

CONHECENDO OS DINOSSAUROS

DINOSSAUROS EM BATALHA

As lutas entre os dinossauros nem sempre eram justas. Alguns possuíam um corpo mais resistente, enquanto outros eram maiores e mais fortes

ATAQUE E DEFESA

CONHECENDO OS DINOSSAUROS

TENONTOSSAURO

ARCADA DENTÁRIA DE UM TIRANOSSAURO

A INTERAÇÃO

A maioria dos dinossauros possuía uma interação única, fosse com outros animais ou com o ambiente em que viviam. Alguns poderiam caçar em grupos, enquanto outros eram predadores solitários.

Os tiranossauros e os alossauros eram duas dessas espécies que subjugavam suas presas e as caçavam de forma a penetrar as proteções de herbívoros como os Triceratops e o Iguanodon. "Na mesma espécie, os indivíduos provavelmente lutavam uns com os outros para conquistar um companheiro, comida, território, ou a predominância no grupo.

Para dar conta disso, os dinossauros possuíam uma grande variedade de armas de ataque e defesa", conta o pesquisador, paleontólogo e especialista em dinossauros Paul Barrett em sua obra "Dinossauros: Uma História Natural".

ESTRATÉGIAS DE ATAQUE

As caçadas em grupo eram feitas geralmente por dinossauros menores, que precisavam mobilizar sua força em números para conseguir suprir a falta de tamanho ou de força física. Frequentemente são encontrados dentes de espécimes como o deinonychus ao lado de esqueletos de imensos dinossauros herbívoros, como tenontossauro. É possível saber que são de espécimes diferentes graças ao tamanho e formato dos mesmos.

"Essas duas conclusões dão a entender que o deinonychus caçava em grupo, usando do trabalho em equipe para atacar e matar animais maiores que eles. O cérebro do deinonychus é bastante volumoso para um dinossauro de corpo pequeno e deve ter permitido ao animal articular com outros membros do bando o comportamento e a estratégia de caça", completa Paul Barrett na mesma obra.

DENTES E PRESAS

Uma das principais armas dos dinossauros, especialmente os carnívoros, eram seus dentes e presas. Predadores gigantescos como o tiranossauro, ou mesmo os menores como o compsognato, utilizavam suas bocas para ataque e defesa.

Os dentes de grande parte dos terópodes – grupo de dinossauros bípedes, carnívoros e onívoros que são classificados dentro da ordem Saurischia – eram levemente curvados a fim de dilacerar a carne de suas presas com certa facilidade.

Além de pontiagudos, para que houvesse uma rápida e precisa perfuração, alguns dentes também poderiam ter em suas extremidades um serrilhado miúdo, assim como o das facas com serra que são usadas como utensílio doméstico.

Assim, com as bordas dos dentes serrilhadas, os dinossauros cortavam a carne de suas presas com uma facilidade assustadora. "No tiranossauros, os dentes chegavam a ter 30 centímetros de comprimento e eram fortes o suficiente para triturar e perfurar ossos maciços", conta Paul Barrett.

GARRAS

Uma característica em comum entre os terópodes – e que dava a eles uma vantagem não só estratégica como física também quando iam à caça de suas presas – eram as garras que possuíam em seus membros inferiores e superiores. "Cada garra terminava numa ponta afiada que servia muito bem para penetrar a carne de presas infelizes. Em vida, as garras ósseas deviam ser recobertas por uma bainha de uma substância chamada queratina – a mesma que constitui nossos cabelos e unhas", conta o pesquisador Paul Barrett.

Esse revestimento, por se tratar de um material orgânico e natural dos dinossauros, ia se regenerando conforme se desgastava e era substituído parcialmente. Contudo, à medida que essa bainha se desgastava, a ponta das garras se tornava mais e mais afiada.

ATAQUE E DEFESA

O formato era semelhante às garras de muitas aves de rapina, como águias e falcões. Graças a essa semelhança, é possível dizer que as garras não serviam somente para rasgar, mas também para capturar as presas ou segurar a carne enquanto o animal se alimentava.

CHIFRES

Os chifres são uma das partes mais marcantes em muitas espécies de dinossauros. Os famosos triceratops são os dinossauros mais reconhecidos pelos seus três chifres pontiagudos. Contudo, a posição e o número desses chifres variavam de acordo com a espécie. Os monoclonius, cujo nome significa "de um chifre", possuíam apenas um chifre curto localizado bem na ponta do focinho, enquanto o styracossauro possuía um longo e poderoso chifre na ponta do focinho e diversos outros em sua carapaça próxima ao pescoço.

É aceita na comunidade científica a ideia de que esses ceratópsios utilizavam os chifres e as carapaças para se defenderem contra grandes e médios predadores. Contudo, há a possibilidade de os chifres funcionarem assim como nos mamíferos atuais, como o bisão, o búfalo e a cabra, que os utilizam para se localizarem e se reconhecerem ao viver em manadas.

"Esses animais têm tamanhos, forma e coloração diferentes. E seus chifres possuem formas variadas de uma espécie para outra. Muitos dos chifres mais curtos podem não ter tido efeito no combate com predadores. Tanto os ceratópsios machos quanto as fêmeas possuíam chifres", explica Paul Barrett em "Dinossauros: Uma História Natural".

DEFESAS NATURAIS

Enquanto alguns dinossauros possuíam algumas das melhores defesas contra predadores e dinossauros carnívoros, outros herbívoros não tinham defesas que fossem realmente efetivas contra uma ameaça.

Nessas horas, era preciso contar com outros recursos para se livrar dos atacantes. Uma das melhores defesas era o ataque, quando uma espécie não somente se alimentava, mas migrava em grupo, salvando uns aos outros.

"Alguns tinham sentidos bem desenvolvidos, como visão aguçada, que lhes permitia perceber a aproximação de predadores a grande distância", afirma o paleontólogo Paul Barrett na obra "Dinossauros: Uma História Natural".

Esses atributos físicos, muitas vezes, eram tudo o que espécies como o hipsilofodonte podiam contar. Seus membros traseiros eram pernas longas e velozes que o permitiam escapar e correr dos predadores – uma vez que seu corpo também pequeno o ajudava a tomar impulso mais rápido.

CAMUFLAGEM

A pele dos dinossauros variava de acordo com a espécie. Alguns possuíam uma pele mais robusta e fortificada, enquanto outros tinham uma pele mais frágil. Contudo, a cor desses animais também poderia ser de grande ajuda para eles em momentos de aperto.

Outro sistema de defesa natural – e que ainda é muito utilizado por alguns animais na era moderna, como o camaleão – é a camuflagem. Estudos recentes feitos por pesquisadores da Universidade de Bristol, no Reino Unido, revelam que apenas algumas espécies possuíam essa vantagem.

No estudo, publicado como 3D Camouflage in an Ornithischian Dinosaur, foi constatado que o Psitacossauro, uma rara espécie de dinossauro que habitou as terras que hoje são a China, possuía uma coloração clara no lado de baixo do corpo, enquanto em cima era mais escura.

O doutor Jakob Vinther, um dos coautores do estudo, afirma em matéria oficial no site da instituição que "o fóssil, que está em exibição para o público no Museu de História Natural Senckenberg na Alemanha, preserva um claro contrassombreamento, que tem se mostrado funcional por sombras que contra iluminam o corpo, estas fazem o animal aparentar opticamente plano para os olhos de um espectador".

Essa alternância entre as cores e o efeito enganador que elas proporcionavam funcionava como uma espécie de camuflagem, como conta o professor Innes Cuthill da Escola de Ciências Biológicas da Universidade na mesma matéria.

"Reconstruindo um modelo 3D em tamanho real, nós estávamos abertos a não somente ver como os padrões de sombreamento mudavam por todo o corpo, mas também que eles combinavam como uma espécie de camuflagem o que poderia trabalhar bem em um ambiente de floresta", completa o professor Innes Cuthill, da Universidade de Bristol.

ESTEGOSSAURO

O estegossauro é um dos mais famosos dinossauros do mundo, e é o integrante mais conhecido do grupo de dinossauros caracterizado por ter placas ósseas e espigões pelo dorso: os Stegosauria.

O primeiro fóssil de estegossauro foi encontrado em 1870,

EINIOSAURUS

DESCOBERTO PELO PALEONTOLOGISTA NORTE-AMERICANO SCOTT SAMPSON EM MONTANA (EUA) O EINIOSAURUS – CUJO NOME SIGNIFICA "LAGARTO BISÃO" – POSSUÍA DOIS CHIFRES LOCALIZADOS NA PARTE MAIS ALTA DA CABEÇA, O QUE O FAZIAM UMA CRIATURA IMPONENTE. CONTUDO, O MAIOR DIFERENCIAL DESSE ESPÉCIME É O CHIFRE NA PONTA DE SEU NARIZ, QUE É CURVADO PARA FRENTE E PARA BAIXO.

CONHECENDO OS DINOSSAUROS

FICHA TÉCNICA
Nome: Estegossauro
Significado: "Lagarto Telhado"
Onde foi Encontrado: Estados norte-americanos do Colorado, Utah, Montana e Wyoming
Tamanho: 9 metros
Peso: 2 toneladas
Estilo de Vida: Herbívoro
Época: Período Jurássico
Espécie: Stegosaurus Armatus
Classificação: Thyreophora, Stegosauria

e até hoje esse dinossauro só foi achado nos Estados Unidos da América. Herbívoro, convivia com outras espécies, mas por ser lento e vagaroso era uma presa fácil a predadores mais rápidos como os alossauros e os ceratossauros.

"A estrutura pesada das pernas, o estranho dorso encurvado e o tamanho evidente do estegossauro fazem concluir que ele não era um animal capaz de escapar rapidamente ao ser atacado", conta Paul Barrett na obra "Dinossauros: Uma História Natural".

Protuberâncias ósseas existiam em algumas das partes mais frágeis do corpo do animal, como o pescoço ou o quadril, por exemplo, servindo de proteção natural contra os predadores e atacantes. Outro fato curioso acerca do Estegossauro é que, pelo seu avantajado tamanho, seu cérebro era extremamente pequeno comparado ao de outros dinossauros em relação a seus tamanhos.

PLACAS

As placas do estegossauro eram a parte mais impressionante de seu corpo. Largas, as placas variavam de tamanho e ocorriam em todo o animal. Algumas placas podiam chegar a 1 metro de comprimento.

Contudo, o estegossauro não as utilizava como uma proteção efetiva. Pelo fato de serem largas, podiam afugentar algum predador pelo seu tamanho, mas elas eram também relativamente finas e rombudas. Com isso, se de fato um grande terópode carnívoro atacasse um estegossauro, as placas não suportariam a investida. Assim, as placas podiam ser usadas para reconhecimento entre os membros da espécie. Em uma hipótese interessante, essas grandes placas também podem ter servido como um elemento de controle da temperatura corporal do estegossauro.

"Pequenos sulcos na superfície das placas indicam a possível existência de vasos sanguíneos. Eles podiam servir tanto para absorver quanto para liberar o calor do corpo. Sendo assim, o estegossauro provavelmente controlava a quantidade de sangue que circulava para as placas, a fim de evitar seu aquecimento ou resfriamento no momento errado", completa Paul Barrett ainda em sua obra.

CAUDA E ATAQUE

Por ser herbívoro, o estegossauro não atacava outras espécies, apenas se defendia com sua poderosa cauda, dotada de dois pares de espigões com cerca de 60 centímetros de comprimento.

Um golpe lateral com esses pares de espigões poderia nocautear ou mesmo dilacerar alguns predadores, dependendo de seus tamanhos. A tática era balançar a cauda o máximo possível para acertar as pernas ou a barriga dos atacantes.

ESQUELETO DE ESTEGOSSAURO EXPOSTO NO MUSEU DE HISTÓRIA NATURAL DE SENCKENBERG – FRANKFURT, ALEMANHA, 2016

ALIMENTAÇÃO

MODELO DE VELOCIRAPTOR SE ALIMENTANDO NO DINOPARK, NA ESLOVÁQUIA

A DIETA DOS DINOSSAUROS

A maioria dos dinossauros não tinha uma dieta balanceada, e em muitos casos, eles próprios eram a refeição de alguém maior

Fonte de vida, a alimentação regulava não somente os hábitos dos dinossauros, como também indicava qual a região o dinossauro procurava ou migrava, quem eram seus predadores e quem eram suas presas, ou quais as melhores vegetações para cada espécie.

A dieta dos dinossauros, de forma geral, era definida pela ingestão de plantas e vegetais – que seriam os dinossauros herbívoros – ou pelo consumo da carne, que seriam os dinossauros carnívoros, e também aquelas espécies que comem ambos os alimentos, chamados de onívoros.

Coprólitos

Ainda hoje, após milhares de escavações e diversos espécimes catalogados, é difícil saber verdadeiramente o que os dinossauros comiam. Cientistas procuram indícios nos locais mais prováveis, como dentro dos esqueletos ou nas proximidades de um fóssil, até maneiras mais inusitadas como o estudo das mordidas e da formação dos dentes.

Contudo, é raro encontrar um dinossauro que ainda possua sua última refeição fossilizada dentro de seu esqueleto. Esses restos de alimentos são chamados de coprólitos, e nada mais são que os excrementos.

CONHECENDO OS DINOSSAUROS

"Um coprólito pode ser uma ferramenta muito valiosa para descobrir a dieta de algo que está morto ou fossilizado. Coprólitos de animais terrestres são raros. Nós encontramos muitos coprólitos vindos de animais marinhos, como os peixes. Assim como todos os outros fósseis, as condições marinhas provêm uma preservação muito melhor que a média de qualquer habitat terrestre", conta Dougal Dixon na obra The World Encyclopedia of Dinosaurs & Prehistoric Creatures.

Os Testes

Exames laboratoriais são feitos em coprólitos a fim de delimitar quais os alimentos ingeridos pelos dinossauros e, acima disso, obter provas concretas e categóricas sobre suas dietas.

Fragmentos de plantas ou da carne e dos ossos de animais podem ser encontrados nos coprólitos, o que sugere se o dinossauro era herbívoro (quando só há plantas no excremento) ou carnívoro (quando só há carne e ossos) ou mesmo onívoro (quando são encontrados ambos os detritos).

"Houve poucos casos em que o coprólito foi encontrado dentro do esqueleto do dinossauro – um elo direto que permitiria aos cientistas associar com segurança o coprólito a um espécime específico de dinossauro", explica Paul Barrett na obra "Dinossauros: Uma História Natural".

Assim, quando um coprólito é encontrado, ele não pode ser associado a nenhuma espécie com a segurança apropriada. Alguns desses dejetos fossilizados foram encontrados na América do Norte e datados do período Cretáceo e contêm vários pedaços de matéria vegetal.

Cientistas especulam que pertençam, por ter um tamanho maior, a grandes dinossauros herbívoros que dominavam aquele período. Uma das hipóteses é que pertencessem a hadrossauros, espécie herbívora abundante naquela época.

Outros Métodos

Meios indiretos são comumente utilizados para saber qual era a dieta de diversas espécies de dinossauros. Um deles é estudar como são os dentes do animal, sua grossura, suas bordas e extremidades, bem como o movimento do maxilar e a força empregada para abocanhar.

Isso é possível graças ao estudo dos animais modernos, que proporcionaram uma conclusão de que essa técnica é de fato efetiva ao se tirar conclusões sobre a dieta alimentar. Além dos dentes, é possível saber outras informações úteis por meio dos maxilares, das garras e da forma geral do corpo do animal – como a caixa torácica ou o tamanho das vísceras.

Carnívoros

O estudo da arcada dentária de alguns animais modernos pode

Alimentação

dizer muito quando essas são comparadas à dentição de alguns dinossauros. Um exemplo é o do lagarto-monitor, um réptil carnívoro.

Seus dentes são chatos e em forma de lâmina, enquanto que suas pontas são levemente curvadas para trás – o que causa um efeito mortal, pois engancham na carne da presa de forma avassaladora.

O estrago na carne da presa se completa com as serrilhas que existem nas beiradas da frente e de trás de seus dentes, que cortam a vítima de forma fácil e rápida. Na época dos dinossauros, espécimes como o tiranossauro e o alossauro possuíam dentes muito semelhantes com os dos lagartos-monitores, só que bem maiores.

Essa dentição era perfeita para alimentar grandes animais terrestres e de corpo resistente. Outras características que facilitavam uma dieta rica em proteína pelos carnívoros eram as grandes garras, que hoje são encontradas em grandes aves de rapina.

Herbívoros

Enquanto os carnívoros possuíam uma dentição especializada em rasgar, triturar e dilacerar suas presas, os herbívoros trabalhavam com dentes menos perigosos a outros animais.

Sua dentição era larga e seus dentes possuíam serrilhas ásperas – muito mais largas que a dos carnívoros – ao longo das bordas para que tivessem outro efeito ao "cortar o alimento". A forma de folha dos dentes dos herbívoros, aliada a essas serrilhas espaçadas, era perfeita para cortar folhas e plantas.

"Em alguns dinossauros, como o lesotossauro e o celidossauro, veem-se dentes muito parecidos, indicando que esses animais eram herbívoros. Outros, como os hadrossauros, têm dentes chatos, sem essas serrilhas largas. Esses dentes são muito parecidos com os de animais como ovelhas e vacas, que ruminam vegetação consistente", explica Paul Barrett. Outro diferencial dos herbívoros é que possuíam intestinos muito grandes para assimilar toda a fibra dos vegetais que comiam, o que tornava sua região abdominal muito mais volumosa.

A IGUANA É UM DOS ANIMAIS MODERNOS USADOS COMO BASE PARA O ESTUDO DA DENTIÇÃO DOS HERBÍVOROS

CONHECENDO OS DINOSSAUROS

LOCOMOÇÃO

RASTROS DE DINOSSAUROS

Como pegadas fossilizadas há milhares de anos ajudam os pesquisadores a compreender a vida e os hábitos dos dinossauros

Os dinossauros viveram por milhares de anos e deixaram para trás não somente seus ossos, mas um rastro de pistas sobre sua evolução e desenvolvimento. Esses rastros suprem a dependência que os paleontólogos possuem das ossadas e da boa qualidade das mesmas.

"Um animal morto pode ter deixado um esqueleto, mas em todas as probabilidades haverá apenas alguns ossos deixados para nós estudarmos, uma vez que o resto dos ossos tem sido comidos ou erodidos", conta Dougal Dixon na obra "The World Encyclopedia of Dinosaurs & Prehistoric Creatures".

Assim, a paleontologia possui um ramo que lida com esses rastros, chamado de Paleoicnologia, uma divisão da icnologia – que por sua vez é um ramo da geologia que estuda traços e rastros do comportamento de seres vivos e outros organismos como tocas ou pegadas.

Portanto, a Paleoicnologia estuda os vestígios fósseis deixados pelos dinossauros e outras criaturas que habitaram a Terra há milhares de anos, enquanto outros ramos como a neoicnologia estudam traços e rastros de animais modernos.

"[...] De qualquer modo, aquele único animal terá feito milhões de pegadas durante toda sua vida, e essas pegadas, se preservadas, podem nos contar todos os tipos de coisas sobre o estilo de vida do animal", completa Dougal Dixon na obra.

PEGADAS

Os paleoicnologistas – os especialistas e estudiosos responsáveis por estudar as pegadas e os rastros dos dinossauros e outras criaturas pré-históricas – sofrem com um grave problema com relação à definição dos donos das pegadas. O problema persiste desde o século 19 quando o naturalista Edward Hitchcock foi chamado para estudar uma série de pegadas encontradas em arenitos datados do período Triássico, em Connecticut, nos Estados Unidos.

Na época não se tinha conhecimento sobre os dinossauros e as pegadas foram classificadas como sendo de um "pássaro gigante". "Até mesmo hoje é quase impossível corresponder uma pegada com o animal que a fez", conta o geólogo e paleontólogo escocês Dougal Dixon no livro.

Graças a isso, paleoicnologistas criaram um sistema para classificar – ainda que de forma genérica – os donos das pegadas que eram encontradas fossilizadas em diversos tipos de sedimentos.

Esse sistema se baseia em criar um catálogo que defina não qual o animal específico que deixou a pegada, mas de que espécie ele vinha. Assim, foram definidas as "Icnoespécies". Por exemplo, se a pegada foi feita por um ornitópode de pequeno porte, ela geralmente é classificada como Anomoepus. Já as pegadas classificadas como Tetrasauropus foram provavelmente feitas por um prosaurópode. E as pegadas feitas pelos saurópodes são chamadas de Brontopodus.

PEGADAS COMO PISTAS

Depois de analisadas, as pegadas servem para diversos propósitos. Se uma série de pegadas é encontrada – denominada simplesmente como trilha pelos paleontólogos – elas podem sugerir ou indicar com maior precisão de onde o dinossauro vinha e para onde estava migrando.

Também é possível dizer se estava viajando em bando ou sozinho. Por diversas vezes as pegadas dos dinossauros indicavam, quando distribuídas em trilhas, diferentes tamanhos de pegadas, como se um grupo de dinossauros da mesma espécie – geralmente família – passava por ali, com pegadas maiores para os membros adultos e menores para os filhotes.

Geralmente, além dessas informações genéricas, é possível descobrir dados mais específicos. Por exemplo, quando é encontrada uma pegada, se analisa primeiramente a largura e o comprimento da pata e a quantidade de falanges, bem como a profundidade da pegada.

Também é analisada a distância entre as sucessivas pisadas (para saber o ritmo do caminhar ou corrida), a distância entre sucessivas pisadas da mesma pata, o ângulo entre três pisadas sucessivas, e o ângulo da direção

CONHECENDO OS DINOSSAUROS

dessas pisadas. Tudo isso torna a paleoicnologia uma ciência extremamente matemática em alguns casos, mas é fundamental para descobrir, com base em diversas equações, a velocidade do dinossauro.

"Alguns cálculos indicam que certos terópodes grandes, como o alossauro, conseguiam atingir a velocidade de cerca de 40 Km/h. Terópodes leves, como o estrutiomimo, e ornitópodes pequenos, como o hipsilofodonte, devem ter sido capazes de correr a quase duas vezes essa velocidade", completa Paul Barrett na obra "Dinossauros: Uma História Natural".

Falsos dados

Contudo, os dados extraídos de todo esse estudo de campo podem ser traiçoeiros, levando muitas vezes a um beco sem saída ou a falsas conclusões a respeito de determinados dinossauros ou situações.

Isso porque a pegada que está impressa em um determinado sedimento de rocha, quando feita, era impressa no solo com todo o peso do dinossauro, o que resultava em uma impressão na camada mais rasa e uma na camada mais baixa do chão.

Conforme o clima ia mudando, a camada superior desse sedimento ia tornando a pegada cada vez menos distinta, até que fosse apagada. Mas a impressão do sedimento mais profundo permanecia e muitas vezes são essas as pegadas que são encontradas. É essencial reconhecê-las, pois essas impressões tendem a ser menores que verdadeiras pegadas e, se confundidas, podem dar cálculos de velocidade não confiáveis.

O método mais confiável para reconhecer uma pegada verdadeira, e para evitar esse tipo de problema, é prestar atenção aos detalhes. Quanto mais detalhes sobre a pele e a textura da parte de baixo do dinossauro que deixou a pegada, mais confiável se torna o rastro.

Trilhas e caça

Em outros casos, as trilhas – formadas pelas pegadas de um ou de vários dinossauros – indicam uma possível caçada que aconteceu há milhares de anos. Isso porque os rastros de um saurópode podem conter pelas proximidades uma trilha feita por um terópode, o que abre um campo de inúmeras interpretações. Algumas das mais comuns são as de que ambos estavam migrando para outra região em busca de comida, ou o saurópode estava sendo seguido pelo terópode, se tratando genuinamente de uma caçada. Não há como distinguir ou saber com precisão o que ocorreu, o que torna esses achados importantes, porém muito especulativos.

Trilhas na água

As trilhas feitas pelos saurópodes são as mais difíceis de serem identificadas, pelo fato de que somente a parte frontal de suas patas era impressa nas pegadas desses dinossauros, e nada mais.

Esses rastros abrem a possibilidade para a interpretação de que esses animais estivessem nadando, e não apenas andando. Quando esse tipo de rastro foi descoberto, afirmou-se que seria possível se o animal estivesse em um rio e as patas dianteiras estivessem impulsionando a criatura enquanto as traseiras flutuavam.

Contudo, é mais provável que essas pegadas – por mais teorias que despertem na mente dos paleontólogos – sejam apenas impressões mais profundas as quais apenas a parte frontal da pata, por penetrar com maior intensidade nos sedimentos, tenha permanecido.

Bípedes

Quando se trata do modo de andar, e não somente dos rastros ou das patas, os dinossauros podem receber uma classificação utilizada ainda hoje para criaturas da era moderna.

Os bípedes eram os dinossauros que possuíam seus membros superiores, ou seus braços, atarracados e pequenos, o que os obrigava a ter membros traseiros maiores e mais fortes, sustentando todo seu corpo.

Corpo este, aliás, que possuía tendência a ser baixo para que a maior parte de seu peso corporal se localizasse logo acima do quadril, criando um maior equilíbrio e estabilidade. Essas características também são observadas em alguns ornitópodes, indicando que também eram bípedes.

Quadrúpedes

Já os quadrúpedes, como o próprio nome sugere, eram os dinos-

LOCOMOÇÃO

sauros que andavam sobre quatro membros, assim como a maioria dos mamíferos e répteis modernos. Para que isso fosse possível, os quadrúpedes possuíam braços e pernas do mesmo tamanho.

Com isso, todo seu peso poderia ser sustentado sob esses quatro membros, ao contrário dos bípedes, que tinham braços fracos demais e curtos demais para sustentá-los. Por utilizarem os quatro membros, essas criaturas tendiam a ter o corpo maior e mais robusto.

ORNITÓPODES E PROSSAURÓPODES

Existiam, entre as diversas criaturas que habitavam a Era dos Dinossauros, algumas que podiam alterar sua forma de caminhar e se locomover. Elas eram capazes de alternar entre movimentos bipedais e quadrupedais.

Seu corpo apresentava características únicas, que entre elas estavam as de terem patas traseiras longas – o que os permitia serem bípedes – e possuírem braços fortes o bastante para resistirem ao peso de seu corpo, o que os possibilitava andarem também como quadrúpedes. "Os grandes ornitópodes, como o Iguanodon, e prossaurópodes, como o Plateossauro, conseguiam andar como bípedes ou quadrúpedes, conforme a situação", conta Paul Barrett na obra "Dinossauros: Uma História Natural".

LOCOMOÇÃO NA ÁGUA

É sabido que a grande maioria dos dinossauros possuía uma vida terrestre e não tinha membros inferiores ou superiores com características físicas para serem criaturas aquáticas. Contudo, isso não significa que não podiam nadar. O exemplo mais clássico, e atual, que se pode pensar é o dos gatos e cachorros, que apesar de não possuírem patas em forma de pá – claro indicador de habilidades aquáticas – ou mesmo nadadeiras ou guelras, são exímios nadadores quando a necessidade vem à tona.

"Algumas provas geológicas indicam que algumas espécies de dinossauros atravessavam rios e lagos. [...] Os estudos das rochas em que se encontram esses ossos indicam que todos os esqueletos foram depositados ao mesmo tempo num rio largo", comenta o paleontólogo e especialista Paul Barrett na obra "Dinossauros: Uma História Natural".

ANCESTRAL DAS AVES

Entre os integrantes das aves na vastidão dos dinossauros, o archaeopteryx foi considerado o primeiro pássaro já conhecido pelo homem. A locomoção, assim, não se limitava à água e à terra, mas se expandia pelos ares.

Há dúvidas sobre a procedência do voo do Archaeopteryx pelo fato de possuir penas bem desenvolvidas, mas por sua capacidade de voar não ser tão resistente ou ágil como a dos pássaros modernos. Aliás, existem duas teorias que explicam a evolução das aves e da locomoção das mesmas, pegando como base o seu desenvolvimento direto de dinossauros terópodes pequenos e velozes.

Na primeira, os ancestrais das aves eram criaturas que não voavam, mas viviam no topo das árvores e desenvolveram a habilidade de saltar, de galho em galho. Na segunda, os dinossauros terópodes – ancestrais das aves – por serem pequenos e velozes tomavam impulso do chão e saltavam para agarrar suas presas. Uma característica útil para amplificar os efeitos dessas habilidades em prol da sobrevivência dessas criaturas seria o surgimento de penas nos membros superiores. Essa seria a primeira etapa para o surgimento das asas e da cauda e de outras partes que levariam a evolução do voo das aves como se vê nos dias de hoje.

CONHECENDO OS DINOSSAUROS

MANUSCRITOS QUE DATAM DE 1.700 ANOS ATRÁS DESCREVEM OS DINOSSAUROS COMO "GRANDES DRAGÕES"

HISTÓRIAS FANTÁSTICAS

Histórias fantásticas são contadas desde tempos antigos, sobre criaturas mitológicas que habitavam a Terra e que tinham formas jamais vistas ou imaginadas pelos seres humanos

Apesar de muitas das histórias serem uma tentativa de a mente humana compreender o inexplicável para a época, ou mesmo de ilustrar alguns dos mais profundos medos e terrores do ser humano, outras podem ter se baseado em verdadeiros dinossauros para serem criadas.

As mais antigas descrições de dinossauros datam de mais de 1.700 anos atrás, em manuscritos da China antiga em que são mencionados os restos do que foi descrito como "grandes dragões".

O povo chinês atribuiu àqueles ossos os poderes e qualidades mágicas do mitológico dragão chinês – um dos mais poderosos de todas as mitologias orientais envolvendo dragões – e, em diversos casos, alguns desses ossos eram utilizados como ingredientes mágicos em poções alquímicas.

"Muitos dos primeiros estudiosos acreditavam que os restos de dinossauros e de outros animais pré-históricos, como o mamute, fossem os ossos de homens gigantes e de monstros mitológicos. Outros achavam que pertencessem a animais mortos durante o Grande Dilúvio de que fala a Bíblia", conta o paleontólogo Paul Barrett na obra "Dinossauros: Uma História Natural".

ANIMAIS FABULOSOS E LENDAS

Como nas civilizações antigas o conceito de dinossauros e o conhecimento sobre biologia e espécies ainda era arcaico, essas criaturas – vistas como fantásticas por esses povos – eram descritas por outros nomes ou características. Membros de tribos asiáticas, quando em contato com civilizações como a grega, por exemplo, mencionaram que havia diversos tesouros no deserto – que no caso, seria o deserto de Gobi, na Mongólia, que é conhecido por conter diversos ossos de dinossauros – que eram guardados por criaturas aterrorizantes.

As ossadas dos protoceratops são bastante comuns em localidades como o deserto de Gobi, e seu grande bico pode ser confundido com o de uma águia – por aqueles que não sabiam da existência dos dinossauros – assim, pesquisadores acreditam que tenha surgido o mito do grifo, criatura mitológica com corpo de leão e asas e garras de águia.

ROBERT PLOT

Robert Plot, mesmo sem ter nenhum tipo de estudo que o qualificasse mesmo que futuramente a paleontólogo, foi a primeira pessoa que representou um osso de dinossauro em um desenho, publicado em 1677.

O naturalista inglês registrou através desse desenho – publicado

# HISTÓRIAS FANTÁSTICAS

em um livro de história natural – um osso que teria sido levado à Grã-Bretanha por romanos.

GRIFO: CRIATURA MITOLÓGICA COM CORPO DE LEÃO E ASAS E GARRAS DE ÁGUIA

Posteriormente, provou-se que o osso era o fêmur de um dinossauro carnívoro enorme, mas para a época, que não tinha ideia sobre essas criaturas, o osso foi tido como pertencente até mesmo a um gigante.

GEORGES CUVIER

Georges Cuvier nasceu em 23 de agosto de 1769 em Montbéliard – um território no qual as comunidades falavam francês, mas que na época não estava sob a jurisdição da França.

Cuvier começou a estudar em uma escola fundada e comandada pelo Duque de Württemberg, a Academia Caroliniana de Stuttgart, entre os anos de 1784 e 1788. Graças a seus avanços nos estudos pode tomar a posição de tutor de uma nobre família na Normandia. Esse emprego, posteriormente, o manteria a salvo da violência e de determinadas brutalidades acontecidas na Revolução Francesa. Revolução essa que o colocou em uma posição no governo local, o que proporcionou a oportunidade de fazer sua carreira como naturalista.

Em 1795, a convite de Geoffroy Saint-Hilaire, Cuvier foi a Paris e se tornou em primeira instância assistente e pouco tempo depois professor de anatomia animal do renomado e recentemente formado Musée National d'Histoire Naturelle (Museu Nacional de História Natural da França).

Georges permaneceu em seu posto mesmo após a ascensão de Napoleão ao poder, e foi apontado, até mesmo, como Inspetor-Geral de Educação Pública e Conselheiro de Estado.

Um fato impressionante de sua posição como naturalista – à exceção de seus pensamentos, suas teorias e trabalhos bem sucedidos além dos conceitos revolucionários formulados na época – foi que Cuvier permaneceu em sua posição servindo três regimes governamentais totalmente opositores e diferentes – a Revolução Francesa, a França Napoleônica e a Monarquia.

Assim, Cuvier continuou devotando sua vida e seu trabalho em prol de novas descobertas e da ciência – principalmente pelo Museu Nacional de História Natural da França – até a sua morte em 1832 quando já havia sido condecorado como cavaleiro, e nomeado Barão e nobre da França.

O ESTUDO COMPARATIVO

Como naturalista, Cuvier teve ideias revolucionárias. Uma delas foi a de ser o pioneiro na reconstrução de animais vertebrados, bem como a criar uma classificação sistemática para moluscos, peixes, e fósseis de mamíferos e répteis.

Tudo isso o levou ao caminho da anatomia comparativa, que mais tarde viria a ser uma das áreas de maior renome de Sir Richard Owen – fundador do Museu de História Natural de Londres.

Além de ser uma influência positiva e um pioneiro de seu tempo, Cuvier também produziu um número grande de trabalhos científicos acerca das estruturas dos animais vivos e dos fósseis. Ele acreditava que a Terra, de tempos em tempos, havia sofrido com diversos tipos de catástrofes.

"Além da instauração da Paleontologia como disciplina científica e do grande desenvolvimento proporcionado à Geologia, os métodos e programa de pesquisas de Cuvier foram determinantes para o avanço de diversas discussões que culminaram com a Revolução Darwiniana", afirma o Doutor em Ciências Humanas Frederico Felipe de Almeida Faria na tese "Georges Cuvier e a Instauração da Paleontologia como Ciência". Junto a Alexandre Brongniart – geólogo e mineralogista francês –, Cuvier explorou os solos de Paris e além de descobrir e mapear a estratificação do período Terciário do solo francês, ainda foi responsável pela criação dos princípios da Estratigrafia.

WILLIAM BUCKLAND

William Buckland foi um dos mais revolucionários estudiosos dos dinossauros de todos os tempos e se tornou o primeiro

GEORGES CUVIER FOI UM NATURALISTA LIGADO AO MUSEU NACIONAL DE HISTÓRIA NATURAL DA FRANÇA

GEORGES CUVIER FOI PIONEIRO NA RECONSTRUÇÃO DE ANIMAIS VERTEBRADOS E CRIOU UMA CLASSIFICAÇÃO SISTEMÁTICA PARA MOLUSCOS, PEIXES, E FÓSSEIS DE MAMÍFEROS E RÉPTEIS

CONHECENDO OS DINOSSAUROS

professor de Geologia da Universidade de Oxford. Seu maior feito foi ser o primeiro a descrever cientificamente um Megalosaurus, em 1824.

Os ossos descritos e estudados por Buckland foram encontrados em pedreiras ricas em calcário por volta de 1815, na região de Stonesfield, próxima a Oxford. O nome de Megalosaurus – que significa "lagarto enorme" – foi dado pelo próprio William.

Na época, Buckland concluiu que se tratava de um lagarto carnívoro e gigantesco. Independente do primor das descrições e informações conseguidas pelo estudioso, ele foi um dos primeiros a nomear e descrever um dinossauro na história.

GIDEON MANTELL

O médico inglês Gideon Mantell possuía para época um hobby um tanto quanto diferenciado. Colecionar fósseis. Residente de Lewes, região no litoral sul da Inglaterra, o médico realizou ao longo da vida diversas viagens em busca de fósseis que, por sua vez, resultaram em uma coleta numerosa.

Sua mulher, Mary Ann, o auxiliava em tudo que precisava a fim de desfrutar da paixão do marido em busca de raros e inestimáveis fósseis. A procura rendeu a Gideon um lugar privilegiado na história da paleontologia. Isso porque ambos encontraram dentes fossilizados de um animal desconhecido que, em 1825, apenas um ano depois do trabalho publicado de William Buckland, foi nomeado como Iguanodon.

O médico atribuiu o fóssil ao Iguanodon – nome de sua autoria – descrito por Gideon como um lagarto herbívoro, o que na época foi uma ideia revolucionária. Ainda hoje répteis herbívoros são muito raros. Assim, o Iguanodon foi o segundo dinossauro da história a ganhar um nome e uma descrição científica.

GIDEON MANTELL: COLECIONADOR DE FÓSSEIS

O SÉCULO XIX

O início dos anos 1800 foi marcado por fortes descobertas no campo da paleontologia, como as feitas por Gideon Mantell e William Buckland. Outros achados pelo mundo – em especial Europa e América do Norte – permitiram um progresso sem precedentes para a ciência. Novos espécimes como o Thecodontosaurus, o Cetiosaurus e o pequeno Hypsilophodon foram alguns dos mais importantes achados ao longo desse século, que revelaria uma descoberta ainda mais impressionante.

"Embora os cientistas coletassem grande quantidade de ossos, poucos esqueletos completos haviam sido encontrados. Isso provocou erros nas primeiras reconstituições desses animais misteriosos feitas pelos cientistas", explica o paleontólogo Paul Barrett na obra "Dinossauros: Uma História Natural".

Contudo, em 1878, mais de uma dezena de esqueletos de Iguanodon foram encontradas em uma mina de carvão em Bernissart, na Bélgica, complementando as descobertas e descrições feitas em 1825 pelo médico Gideon Mantell.

AS DESCOBERTAS NA AMÉRICA DO NORTE

Enquanto que novos fósseis eram encontrados de forma regular na Europa, especialmente em territórios como o sul da Inglaterra, na França e na Alemanha, os Estados Unidos da América despontavam como uma terra cheia de mistérios enterrados.

Isso porque garimpeiros que buscavam ouro, carvão e outros minérios de valor elevado naquele século, sempre se deparavam com tesouros biológicos e fossilizados – como esqueletos de dinossauros – de uma forma que muitas expedições se dirigiram durante o século XIX para as regiões do Colorado, Wyoming e Montana.

Atualmente, essas regiões constituem grandes e famosos sítios arqueológicos quando o assunto é paleontologia, mas naqueles tempos, novas descobertas estavam a todo o vapor. Foi por volta de 1856 que foram descritos os primeiros restos de dinossauros dos Estados Unidos. Contudo, no período entre 1877 e 1895, os cientistas Othniel C. Marsh e Edward D. Cope, graças a rivalidades científicas, foram os responsáveis pela descoberta de centenas de espécimes de dinossauros dentro do oeste norte-americano.

RICHARD OWEN

Nascido na região de Lancaster, no dia 20 de julho de 1804, Richard Owen teve uma infância difícil graças à morte precoce de seu pai, quando o garoto tinha apenas 5 anos.

Owen estudou quando pequeno na "Lancaster Grammar School", mas foi considerado muito preguiçoso e imprudente

WILL BUCKLAND DESCREVEU CIENTIFICAMENTE UM MEGALOSAURUS, QUE SIGNIFICA "LAGARTO ENORME"

HISTÓRIAS FANTÁSTICAS

OTHNIEL CHARLES MARSH, "RIVAL" DE EDWARD DRINKER COPE, PROTAGONIZOU A CHAMADA "GUERRA DOS OSSOS"

A "GUERRA DOS OSSOS"

A "GUERRA DOS OSSOS" FOI UMA RIXA ENTRE DOIS GRANDES CIENTISTAS NORTE-AMERICANOS QUE ENTRARAM PARA A HISTÓRIA DA PALEONTOLOGIA PELA SUA EXÍMIA DEDICAÇÃO NA DESCOBERTA DE NOVOS ESPÉCIMES.

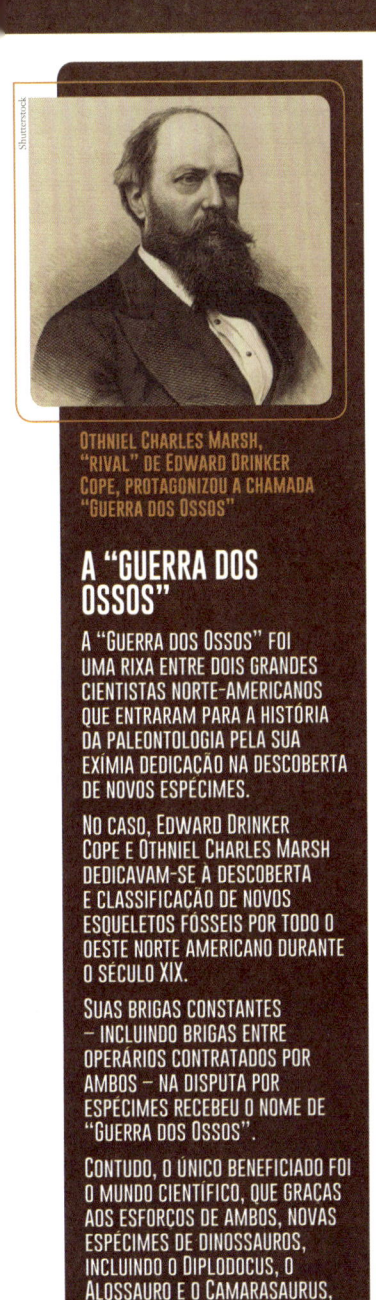

NO CASO, EDWARD DRINKER COPE E OTHNIEL CHARLES MARSH DEDICAVAM-SE A DESCOBERTA E CLASSIFICAÇÃO DE NOVOS ESQUELETOS FÓSSEIS POR TODO O OESTE NORTE AMERICANO DURANTE O SÉCULO XIX.

SUAS BRIGAS CONSTANTES – INCLUINDO BRIGAS ENTRE OPERÁRIOS CONTRATADOS POR AMBOS – NA DISPUTA POR ESPÉCIMES RECEBEU O NOME DE "GUERRA DOS OSSOS".

CONTUDO, O ÚNICO BENEFICIADO FOI O MUNDO CIENTÍFICO, QUE GRAÇAS AOS ESFORÇOS DE AMBOS, NOVAS ESPÉCIES DE DINOSSAUROS, INCLUINDO O DIPLODOCUS, O ALOSSAURO E O CAMARASAURUS, FORAM ENCONTRADAS.

pelos seus mestres e professores. Contudo, quando crescido se tornou interessado pela medicina e decidiu seguir a carreira, treinando com um médico em 1820.

Já em 1824 e após anos de treino – enquanto naturalistas estavam descobrindo fósseis e os nomeando – Richard começou a escola de medicina na Universidade de Edimburgo. Mas, descontente com o ensino e a qualidade das aulas de anatomia comparativa, se matriculou em uma escola particular que ensinava essa matéria.

Com recomendações de seu tutor nessa escola, foi ser aprendiz de John Abernathy que na época era Presidente da "Escola Superior Real de Cirurgiões", o que fez com que Owen conseguisse sua licença e seu título como membro da escola em 1826.

Graças a seus trabalhos na escola superior, em que Owen catalogou diversas espécies de animais, pode conhecer George Cuvier em 1830. Após sete anos, Richard começou a dar suas primeiras conferências sobre as coleções e os espécimes que catalogou. Essas palestras se tornaram tão populares que até mesmo a realeza da Era Vitoriana estava presente.

A carreira de Owen decolou de tal forma que ele foi chamado para explicar e ensinar aos filhos da Rainha Vitória. Outro grande espectador de suas palestras foi ninguém menos que Charles Darwin, que permitiu que Owen analisasse e descrevesse os fósseis de vertebrados trazidos por Darwin de suas viagens à América do Sul.

NOMEANDO DINOSSAUROS

Quando Buckland e Mantell publicaram seus estudos sobre suas respectivas descobertas – o Megalosaurus e o Iguanodon –, não havia um nome para definir aquelas criaturas de proporções magistrais que tomavam conta do fascínio desses pesquisadores.

"Aliás, o Megalosaurus e o Iguanodon eram tidos como grandes lagartos, ao passo que atualmente consideramos os dinossauros um grupo próprio de animais", conta Paul Barrett em sua obra.

O cientista trabalhou por anos na análise e na classificação de fósseis de répteis como os encontrados por Buckland e Mantell até que identificou corretamente que aqueles espécimes não poderiam ser apenas répteis.

Assim, surgiu o termo "Dinossauro" em 1842. Richard Owen

RICHARD OWEN ANALISOU FÓSSEIS DE VERTEBRADOS TRAZIDOS POR CHARLES DARWIN DA AMÉRICA DO SUL

cunhou o termo que significa literalmente "lagarto terrível", devido ao enorme tamanho daquelas feras extintas.

Richard conseguiu demonstrar de forma precisa que a estrutura do esqueleto dessas três criaturas era diferente de outros répteis, tanto vivos quanto extintos. Também conseguiu descobrir corretamente que aquelas criaturas viveram como répteis terrestres da Era Mesozoica.

SUAS TEORIAS

A maior contribuição de Owen ao mundo foi – além de sua vasta produção científica e o auxílio na fundação do Museu de História Natural de Londres – a criação da palavra "Dinossauro". Contudo, Owen foi responsável também por teorias que delimitaram e ajudaram a entender e a classificar aquelas enormes criaturas até então desconhecidas pelo mundo científico.

Em termos simples, Owen classificou os três primeiros dinossauros achados em três categorias. O gênero Megalosaurus, que era formado pelas espécies carnívoras. O gênero Iguanodon, que era formado pelas espécies herbívoras. E o gênero Hylaeosaurus que eram as espécies com armaduras ósseas.

CONHECENDO OS DINOSSAUROS

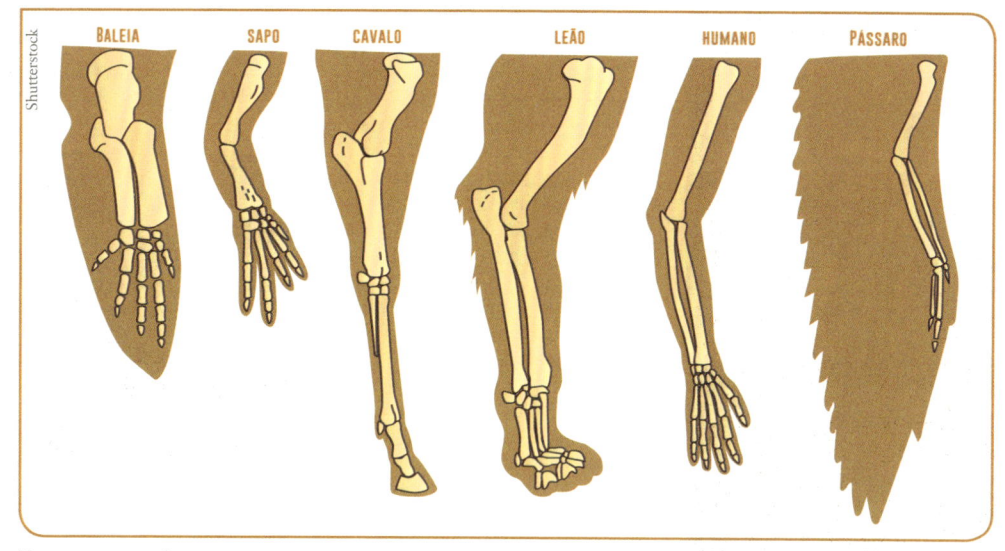

MEMBROS DE MAMÍFEROS QUE POSSUEM ESTRUTURAS SEMELHANTES, MAS COM VARIEDADES EM SUAS FORMAS: EXEMPLO DE HOMOLOGIA

Também, foi o responsável por sintetizar trabalhos de anatomia franceses e germânicos e cunhar

RICHARD OWEN: O "PAI" DA PALAVRA DINOSSAURO

alguns termos que ainda hoje são utilizados em anatomia e biologia evolucionária.

Um desses termos é "Homologia", o qual Owen definiu em 1843 como "O mesmo órgão em diferentes animais sob uma mesma variedade de formas e funções".

A HOMOLOGIA

A homologia é hoje uma das mais bem fundamentadas teorias com relação à evolução das espécies. No caso de Richard Owen, ele corretamente raciocinou que deveria existir um plano de estruturação comum entre todos os vertebrados, assim como para suas classes. Para tomar um exemplo de homologia, é possível se atentar às estruturas presentes em membros de diferentes mamíferos, como as pernas de um leão, as asas de um pássaro ou o braço de um ser humano.

É possível notar que a estrutura dos ossos é a mesma, porém, são rearranjados de forma a serem de melhor conveniência a cada tipo de ser e sua necessidade.

"Estruturas tão diferentes quanto as asas de um morcego, as nadadeiras de uma foca, as patas de um gato e a mão humana não obstante exibem um plano comum de estrutura, com arranjos idênticos ou muito similares de ossos e músculos", explica a página dedicada a Richard Owen, presente no site oficial do Museu de Paleontologia da Universidade da Califórnia.

POLÊMICA ENTRE DARWIN E OWEN

Além de todas as rixas com outros exploradores e paleontólogos, Owen foi um dos mais assíduos e ativos antievolucionistas. Mesmo sendo um dos maiores especialistas em anatomia da Inglaterra e autor de diversos trabalhos, suas teorias ainda eram influenciadas por pensamentos religiosos.

Quando Darwin publicou a obra mais importante de sua vida – "A Origem das Espécies", em 1859 –, Richard não concordou com o modo abordado pelo na-

CHARLES DARWIN PUBLICOU "A ORIGEM DAS ESPÉCIES", EM 1859

turalista, além de nos anos posteriores ao resenhar a obra negou sua validade. Entretanto, seus pronunciamentos sobre o assunto da evolução das espécies eram intrigantes e contraditórios por si. Em 1847, Owen descreveu a anatomia do recentemente descoberto gorila.

Contudo, suas visões antidarwinianas o levaram a concluir que os gorilas e outras espécies de macacos não possuíam algumas partes dos cérebros dos humanos, como o hipocampo menor.

"A singularidade dos cérebros humanos, pensou Owen, mostrou que os seres humanos não poderiam ter evoluído dos macacos", explica a página dedicada a Richard Owen, no site oficial do Museu de Paleontologia da Universidade da Califórnia.

Mesmo com Thomas Henry Huxley – assíduo defensor das teorias de Darwin – mostrando que os macacos possuíam sim um hipocampo, Richard Owen persistiu com sua visão, o que manchou sua posição científica perto do fim de sua vida.

Ainda assim, o próprio Charles Darwin se negava a contradizer ou rebater as provocações e as acusações de Owen. "Que homem estranho, invejoso de um naturalista como eu, tão inferior a ele", já comentava um modesto Darwin quanto à disputa com o colega.

Personalidade difícil

Apesar de ter sido um biólogo, anatomista e paleontólogo brilhante, Richard Owen é lembrado em diversos registros como um homem invejoso, e que tinha a tendência de ignorar as contribuições de outros pesquisadores e cientistas, ao tomar todas as glórias para si mesmo.

Já em 1842, quando publicou um trabalho de descrição científica que ficaria para a história como um dos mais importantes e extensos trabalhos – e que eram do nível de sua fama como anatomista cuidadoso – não mencionou em nenhum momento que os fósseis foram descobertos por paleontólogos amadores para a época, como Gideon Mantell.

O legado

Richard Owen morreu em 18 de dezembro de 1892, em Londres, aos 88 anos. Foi um dos maiores especialistas e estudiosos do mundo, nos campos da ciência e da paleontologia.

Entre os diversos artigos acadêmicos e a vasta produção científica que ajudou a elaborar, deixou como legado a obra "Anatomia e Fisiologia Comparada dos Vertebrados", que se tornou

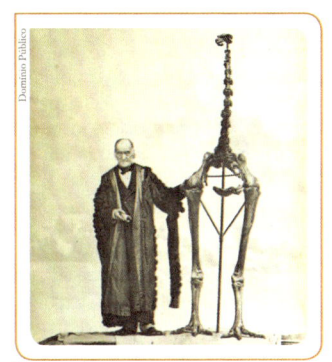

RICHARD OWEN AO LADO DE UM ESQUELETO MONTADO

um clássico da literatura científica da época.

Também o legado de Owen pode ser visto ainda hoje através do Museu de História Natural de Londres, entidade fundada por ele próprio em 1881 e que hoje é um polo de produção científica e uma referência do mais alto nível em paleontologia.

Sir Hans Sloane

Sir Hans Sloane, figura proeminente do século XVIII e um dos principais benfeitores para a criação do Museu Britânico, nasceu em 16 de abril de 1660, em Killyleagh – pequeno condado localizado na Irlanda do Norte.

Após perder seu pai – um recolhedor de impostos chamado Alexander Sloane – com apenas 6 anos, foi criado por sua mãe, Sarah Hicks Sloane, em uma casa simples próxima ao castelo de Killylcagh.

Ele e mais dois irmãos tiveram uma infância difícil, mas conseguiram ter acesso a uma educação de ponta na qual tinham acesso a vasta biblioteca do castelo. Com isso, seu irmão James se tornou um advogado, enquanto William se tornou um comerciante e Hans um doutor.

Seu prestígio foi tremendo em sua bem-sucedida carreira. Entre os pacientes mais importantes da aristocracia britânica, estavam a Rainha Anne e os Reis George I e II. Sloane sempre encontrava tempo para tratar dos desafortunados, que não tinham condições de pagar.

Seus tratamentos inovadores contra a varíola e até mesmo o uso de quinina para medicar pacientes com malária – além de seu mix de leite com chocolate que era vendido como uma bebida com propriedades curativas – o tornaram um renomado médico.

Como resultado de seus tratamentos e trabalho duro, em 1719 foi nomeado como Presidente da "Escola Superior de Doutores" e em 1727 sucedeu Sir Isaac New-

ESTÁTUA DE HANS SLOANE

ton – o mesmo responsável pelas três leis da Física – como Presidente da "Sociedade Real".

O colecionador

Contudo, desde muito jovem, Hans já se interessava por história natural, botânica e outros assuntos diversos, que despertavam não somente sua curiosidade

CONHECENDO OS DINOSSAUROS

como seu apreço por colecionar peças e espécimes raros.

Sua carreira como colecionador começou em 1687 ao acompanhar como médico pessoal o novo governador da época, o Duque de Albermarle, para a Jamaica. Somente nessa excursão, Sloane coletou mais de 800 espécies de plantas para trazer a Londres.

Após absorver coleções completas de outros aficionados, como William Charlton e James Petiver, ele começou a receber objetos de amigos e pacientes que sabiam de seu grande amor por colecionar.

Com isso, uma imensa coleção podia ser visitada na casa de Sloane que já ocupava não somente o Nº 3, como também o Nº 4, da Bloomsbury Place. Por volta de 1742, foi obrigado devido ao grande tamanho, em realocar sua coleção em uma casa em Chelsea.

ÚLTIMO NEGÓCIO

Sir Hans Sloane faleceu em 1753, aos 93 anos, e até aquele ano havia reunido tantas obras, espécimes e relíquias que era impossível não se impressionar. Entre os mais de 71 mil objetos, chefiados pelas peças de história natural, a coleção também possuía 23 mil medalhas e moedas, 50 mil livros, impressões e manuscritos, um herbário, e mais de 1.125 objetos relacionados a civilizações antigas.

Graças a sua grande influência com a aristocracia da época, como último desejo, queria que suas coleções e seus objetos fossem preservados mesmo após sua morte. Com isso, o Rei George II concordou com os termos de seu testamento.

Nele, Sloane concorda em vender sua coleção ao império por uma soma de 20 mil libras – em dinheiro da época – e mesmo sabendo que era pouco, faz esse pedido para que sua coleção permaneça viva.

Assim, no próprio ano de sua morte, um ato parlamentar estabelece a criação do Museu Britâ-

MUSEU BRITÂNICO, FUNDADO EM 1759

nico tendo como base a coleção de Sir Hans Sloane que passa assim a ser considerado uma espécie de patrono e fundador do museu.

O MUSEU BRITÂNICO

Seria impossível dissociar a história de grandes pesquisadores e paleontólogos como Richard Owen, ou mesmo exímios naturalistas como Charles Darwin, da de instituições de pesquisa renomadas, que eles próprios ajudaram a prosperar ou até mesmo a fundar.

Contudo, para compreender o nascimento do Museu de História Natural, deve-se voltar até o século XVIII, com a abertura do Museu Britânico. Sua fundação daria início ao primeiro museu nacional e público do mundo, aberto para todos os tipos de públicos e com entrada gratuita.

As coleções fundadoras consistiam de livros, manuscritos e espécimes naturais com algumas antiguidades (incluindo moedas e medalhas, gravuras e desenhos) e material etnográfico. "Em 1757 o Rei George II doou a 'Velha Biblioteca Real' dos soberanos da Inglaterra e com isso o privilégio do recibo dos direitos autorais", conta o Museu Britânico em seu site oficial.

Assim, o Museu Britânico abriu suas portas pela primeira vez, após anos de preparativos em 15 de janeiro de 1759 em suas primeiras instalações – que nada mais eram que uma antiga mansão do século XVII chamada Montagu House – em Bloomsbury. O museu se localiza até hoje nas mesmas dependências, porém em um edifício próprio para seu grande acervo e porte.

O SÉCULO XIX E A EXPANSÃO

A partir do século XIX, o Museu Britânico começou a receber cada vez mais visitantes que simplesmente não se contentavam em visualizar os espécimes que se encontravam na parte de História Natural.

Com as descobertas de criaturas fantásticas, principalmente os primeiros dinossauros achados por Gideon Mantell, William Buckland e até mesmo pelo grande renome das descobertas de Richard Owen e Charles Darwin nos campos da anatomia e da paleontologia, bem como a evolução das espécies, houve a necessi-

UMA DAS SALAS DO MUSEU BRITÂNICO

HISTÓRIAS FANTÁSTICAS

dade de uma reformulação.

Ao mesmo tempo, na primeira parte daquele século houve um número extraordinário de descobertas arqueológicas de valor incalculável para a humanidade, tais como a Pedra de Rosetta (1802), as Esculturas Clássicas da coleção Townley (1805) e as Esculturas do Parthenon (1816).

Em acréscimo a todas essas descobertas, o Rei George IV deu como um presente à nação, em 1823, a "Biblioteca do Rei" – que consistia em toda a coleção literária de seu pai – que foi comportada no prédio quadrangular. Assim, devido a essas circunstâncias, na década de 1880 foi construído um novo prédio ao sul de Kensington para comportar apenas as coleções de história natural. Esse, por sua vez, se tornaria o tão aclamado Museu de História Natural de Londres.

MUSEU DE HISTÓRIA NATURAL: A "CATEDRAL DA NATUREZA"

MUSEU DE HISTÓRIA NATURAL DE LONDRES

A origem do Museu de História Natural de Londres está fortemente ligada ao Museu Britânico, no qual em 1856, Richard Owen tomou cargo como curador da exposição de história natural do museu.

Contudo, descontente com a falta de espaço e percebendo uma constante necessidade do público para com os dinossauros e as novas espécies encontradas, convenceu o Museu Britânico e seu quadro de diretores a separarem as exposições a fim que os tesouros da história natural coletados recebessem a devida atenção.

Então, em 1864, o renomado arquiteto Francis Fowke – responsável pelo design do "Royal Albert Hall" e do "Victoria and Albert Museum" – venceu a competição para criar o novo prédio para o museu.

Inesperadamente, Fowke nunca veria sua obra pronta por morrer um ano depois de vencer o concurso, que foi assumido por Alfred Waterhouse, que construiu o museu como é visto hoje, ao sul de Kensington. Para dar resistência, Waterhouse utilizou terracota para levantar o prédio. E com seu estilo arquitetônico romanesco, o museu se tornou um dos maiores marcos de Londres.

A CATEDRAL DA NATUREZA

No início e no meio do século XIX não havia museus da forma que há na era moderna. Assim, o prédio do Museu de História Natural de Londres não reflete somente o estilo e a genialidade de seu arquiteto, mas também ilustra a visão de Sir Richard Owen sobre como deveria ser um museu.

Mesmo na época em que o recorde de pessoas para o Museu Britânico era de apenas 5 mil pessoas, Owen ainda acreditava que os museus deveriam ser gratuitos e acessíveis a todos, apesar de incrivelmente caros de serem mantidos, mesmo para a época.

"Exploradores vitorianos regularmente descobriam novas espécies de animais e plantas exóticas de todo o Império Britânico e Owen queria um edifício suficientemente grande para exibir essas novas descobertas no que ele chamou de catedral para a natureza", explica a página sobre a história e arquitetura do site oficial do Museu de História Natural de Londres.

A tão sonhada catedral à natureza de Owen foi pensada pelo cientista em seus mínimos detalhes. Ele demandou que o museu fosse finamente ornamentado com inspiração na própria história natural.

Assim, Waterhouse desenhou incríveis ornamentos baseados em animais e plantas, bem como em estátuas e entalhou-os pelo prédio todo – o qual possuía em sua ala leste as espécies extintas e na ala oeste as espécies que ainda eram vivas.

MUSEU DE HISTÓRIA NATURAL DE LONDRES

CONHECENDO OS DINOSSAUROS

Exposição no Museu de História Natural

RICHARD OWEN E AS RÉPLICAS

O próprio Sir Richard Owen, após uma série de propostas para o Museu de História Natural, sugeriu que houvesse algumas réplicas de dinossauros para que o público visualizasse melhor as criaturas extintas.

Assim, a partir de seus ossos, os cientistas começaram um extenso processo de recriação das formas dos dinossauros. Os espécimes recriados foram os mesmos das maiores descobertas da época, ou seja, o Megalosaurus, o Iguanodon e o Hylaeosaurus. As réplicas foram feitas com estuque, dando-lhes maior durabilidade. Formas e cores foram todas feitas a partir

Estátua de dinossauro no Parque Cristal Palace, em Londres

dos restos mortais das criaturas, apesar da textura ter sido feita com base nos répteis da época. Tudo foi feito para ser o mais verdadeiro e real possível.

A exposição foi à mostra pela primeira vez em 1851 ainda pelo Museu Britânico e desde então as réplicas do século XIX podem ser conferidas no Parque Crystal Palace, na zona Sul de Londres.

O SÉCULO XX

O século XX, além de carregar em sua história duas guerras mundiais, a queda de regimes pelo globo todo, além de conquistas de todas as espécies pelo ser humano em movimentos sociais, também marca uma série de

HISTÓRIAS FANTÁSTICAS

avanços tecnológicos.

Esses avanços, principalmente com relação aos meios de produção e aos transportes, foram essenciais para que cientistas pudessem explorar regiões mais distantes em todo o globo, e assim, descobrir cada vez mais novas espécies de fósseis e criaturas.

"Até cerca de 1900, quase todos os restos de dinossauros eram da Europa e da América do Norte, e tinha-se notícia de poucos tipos em outros continentes", afirma o paleontólogo Paul Barrett, na obra "Dinossauros: Uma História Natural".

Com o avanço dos meios de comunicação, foi mais fácil e rápido de se comunicar e esse contato fez com que importantes artigos e teorias se espalhassem em uma velocidade muito maior, além de achados importantes.

Com todas essas facilidades, ficou claro – conforme os restos fossilizados de dinossauros eram achados em todos os cantos do globo, como na África, na América do Sul e na Ásia – que os dinossauros haviam habitado todos os territórios do mundo.

Regiões como China, Mongólia e Argentina até hoje são férteis para que cientistas descubram novos espécimes de dinossauros. Até mesmo a Antártida, com suas vastas planícies congeladas, se provam um território de descobertas.

BARNUM BROWN

JANTANDO EM UM DINO

Após ter a ideia de criar as réplicas, as mesmas demoraram um determinado tempo até ficarem prontas. Assim, sob a orientação do próprio Richard Owen, foi preparado um jantar dentro do modelo incompleto do Iguanodon, como uma espécie de estratégia publicitária para os seletos convidados.

Domínio Público

BARNUM BROWN ENCONTROU O PRIMEIRO ESQUELETO DE TIRANOSSAURO REX NO ESTADO NORTE-AMERICANO DE MONTANA

(1873 – 1963)

Autor de diversas obras sobre os dinossauros e artigos sobre paleontologia, Barnum Brown nasceu na cidade de Carbondale e teve seu interesse pelos fósseis despertado ainda jovem, quando possuía 21 anos.

Por grande parte de sua vida, Brown trabalhou como chefe da equipe de pesquisa de campo e caça de fósseis para o Museu de História Natural Americana, em Nova York e além do grande número de descobertas, foi o responsável por encontrar o primeiro esqueleto de Tiranossauro Rex a sudeste de Montana.

Mesmo que a honra de nomear o Tiranossauro tenha sido dada ao presidente do museu na época, Henry Osborn, Brown foi o responsável por encontrar outras espécies de suma importância para o mundo, como o Anquilossauro, o Coritossauro e o Pachycephalosaurus.

TÉCNICA DE EXPLORAÇÃO

Apesar dos grandes achados, Barnum Brown sempre foi lembrado pelos seus colegas como um aventureiro energético e um incansável explorador, e nunca como um paleontologista propriamente acadêmico – mesmo que tenha deixado diversos artigos importantes. Seu apelido para seu círculo íntimo de amigos era "Mr. Bones" que significa literalmente "Sr. Ossos".

Algo que ilustra bem essa reputação eram suas técnicas de exploração. Como o maquinário e as ferramentas disponíveis no início do século XX ainda eram arcaicas perto da evolução tecnológica do século XXI, era preciso recorrer a medidas inusitadas. Uma das preferidas de Brown era selecionar uma extensa área para ser explorada e explodi-la com dinamite de uma ponta a outra. Após tudo ter ido pelos ares, o cientista procurava nos escombros por fósseis e os carregava em uma carruagem puxada por cavalos para que fossem estudados em um acampamento próximo.

DÉCADA DE 1960

Durante os séculos XIX e XX, a maioria dos dinossauros encontrados despertou o fascínio não somente de cientistas e estudiosos, como de espectadores de todo o mundo.

Ansiosos por descobrirem traços que conseguissem distinguir a importância daqueles animais fantásticos, paleontólogos de todo o mundo estudaram incansavelmente os fósseis, tentando refutar as hipóteses de que os dinossauros fossem um "beco sem saída" dentro da linha evolutiva da vida na Terra.

Contudo, a descoberta que possibilitaria que esses grandes répteis saíssem do "beco sem saída" para definitivamente serem considerados fundamentais na evolução das espécies, ocorreu na década de 1960, com o achado do Deinonychus.

Graças a esse dinossauro pequeno e frágil, mas ágil e de cérebro volumoso, descoberto por John Ostrom, o mundo começou a ver os dinossauros como criaturas de comportamento dinâmico e complexo – o que justifica a teoria de que alguns dinossauros foram ancestrais diretos das aves.

CONHECENDO OS DINOSSAUROS

OS PALEONTOLOGISTAS

Existiram ao longo da história diversos naturalistas que fizeram grandes descrições e descobertas acerca dos dinossauros e dos fósseis pré-históricos, bem como outros tantos paleontologistas a realizarem um trabalho excepcional em seus campos de estudo. Confira alguns dos mais importantes paleontologistas da história.

HERMANN VON MEYER (1801 – 1896)

O homem que viria a se tornar o primeiro paleontologista alemão nasceu no início do século XIX, em 1801, e veio de uma família abastada de Frankfurt. Seu maior feito foi descrever e nomear a primeira ave do mundo, o Archaeopteryx, assim como alguns espécimes de pterosaurus do sul da Alemanha. Foi responsável pela descoberta do Plateosaurus e é um dos pioneiros no estudo dos invertebrados descobertos na Alemanha e norte da Europa.

JOSEPH LEIDY (1823 – 1891)

Joseph Leidy não foi somente um grande paleontólogo e professor de anatomia na Universidade da Pensilvânia, mas também o homem que descobriu, nomeou e estudou o primeiro dinossauro da América do Norte. O espécime encontrado por ele foi chamado de Hadrosaurus, apesar de permanecer sem crânio e sem uma identificação concreta. Leidy ficou conhecido ao longo de sua carreira pelo seu trabalho com mamíferos do período terciário.

FLORENTINO AMEGHINO: PESQUISAS NA AMÉRICA DO SUL

HARRY GOVIER SEELEY (1839 – 1909)

Harry Seeley foi um paleontologista britânico de grande renome graças a um artigo publicado em 1888, no qual elaborou uma das teorias mais avançadas e primordiais para o estudo dos dinossauros e que é sustentada até os dias de hoje.

No artigo, Seeley elaborou um modo de classificar e dividir as espécies de dinossauros de acordo com duas ordens – divisão usada até hoje – os Ornitísquios e os Saurísquios. Além disso, Harry nomeou uma série de dinossauros apesar de todos serem declarados como "Nomen Dubia" – um estado de incerteza sobre seu nome e sua origem – por seus restos estarem muito fragmentados.

O PALEONTOLOGISTA HARRY SEELEY DIVIDIU OS DINOSSAUROS EM ORDENS: OS ORNITÍSQUIOS E OS SAURÍSQUIOS

FLORENTINO AMEGHINO (1857 – 1911)

Florentino Ameghino foi um antropólogo, paleontólogo e naturalista argentino que obteve grande notoriedade por seu trabalho único estudando fósseis de mamíferos na América do Sul.

Sua maior contribuição foi ser o pioneiro no estudo e na escavação de dinossauros e outros vertebrados extintos na Argentina durante o século XIX. Florentino foi o primeiro paleontólogo argentino a ter reconhecimento internacional e suas descobertas permanecem até hoje acessíveis no Museu "La Plata", na Argentina.

ERNST STROMER VON REICHENBACH (1870 – 1952)

Von Reichenbach nasceu em 1870 em uma nobre e aristocrática família alemã, a qual deu todo o suporte para sua carreira, mas que somente decolou alguns anos antes da Primeira Guerra Mundial (1914 – 1918). Seu maior feito foi liderar, ainda antes da primeira guerra, uma expedição para descoberta e exploração de sítios arqueológicos no Egito. Bem sucedido, Ernst encontrou em um período de semanas entre janeiro e fevereiro de 1911, uma série de largos e gigantes ossos, os quais desafiavam suas habilidades ao máximo.

Posteriormente, os ossos foram descritos como pertencentes a novos espécimes como o Aegyptosaurus, o Carcharodontosaurus e o Spinosaurus – esse último maior até mesmo que um dos mais temidos dinossauros, o Tiranosaurus. Contudo, o mundo não foi muito gentil com ele e nem mesmo para com sua obra. Todos os ossos encontrados e catalogados por Ernst foram destruídos durante um bombardeio em Munique, em 1944, pelos britânicos da RAF – Royal Air Force (Força Aérea Real). Nesse meio tempo, dois de seus três filhos – que estavam a serviço do exército alemão durante a Segunda Guerra Mundial (1939 – 1945) foram declarados mortos.

HISTÓRIAS FANTÁSTICAS

O NATURALISTA ROY CHAPMAN ANDREWS ENCONTROU UM NINHO DE DINOSSAURO COM OVOS FOSSILIZADOS

ROY CHAPMAN ANDREWS (1884 – 1960)

Nascido em janeiro de 1884 em Beloit – Wisconsin, desde pequeno já possuía um fascínio pelas paisagens naturais do sul do estado norte-americano. Para ter uma chance de seguir a carreira que tanto almejava, Andrews se mudou para Nova York para tentar um emprego no Museu de História Natural.

Contudo, se voluntariou para varrer o chão enquanto não houvesse posições disponíveis nas equipes de pesquisa. Após anos trabalhando como assistente e como pesquisador pelo museu, Roy Chapman liderou uma série de expedições pela instituição para o deserto de Gobi – Mongólia, na década de 1920.

Apesar de o objetivo ser o de encontrar os restos dos ancestrais dos seres humanos, Andrews encontrou um vasto rastro de novos dinossauros em rochas datadas do Cretáceo. Assim, além de ser pioneiro no uso de transportes motorizados para os sítios arqueológicos, foi o primeiro a encontrar um ninho de dinossauro, com ovos fossilizados.

JOSÉ FERNANDO BONAPARTE (1928 -)

José Fernando Bonaparte nasceu na região de Rosário, Argentina, em 1928, e desponta como o mais famoso dos paleontologistas contemporâneos do país. Hoje, com 88 anos, inspira toda uma nova geração de paleontologistas graças a seus trabalhos. Entre suas maiores contribuições estão as análises e estudos de diversas espécies de dinossauros e outras criaturas da América do Sul, como o Titanosaurus e o Pterosaurus.

JOHN H. OSTROM (1928 – 2005)

Nascido no Estado de Nova York, recebeu seu bacharelado em ciências, biologia e geologia em 1951. No mesmo ano começou a trabalhar como pesquisador assistente no Museu de História Natural. Em 1960 conseguiu seu doutorado em geologia e Paleontologia dos vertebrados pela Universidade de Columbia.

Entre seus mais importantes feitos estão o de descobrir e descrever com precisão um Deinonychus em 1969 e, graças a isso, estabelecer uma linha e conexão evolucionária entre pássaros e dinossauros.

DONG ZHIMING (1937 -)

Zhiming é conhecido hoje como o mais famoso e bem sucedido paleontologista chinês da era moderna e conduziu diversos trabalhos em conjunto com o Instituto de Paleontologia e Paleoantropologia de Vertebrados de Beijing, na China.

Como resultado desses trabalhos, Zhiming nomeou cerca de 20 novos tipos de dinossauros.

PAUL SERENO (1957 -)

Um dos mais importantes paleontologistas dos dias de hoje, Sereno possui entre seus feitos a descoberta de diversos espécimes nas regiões norte da África e na Ásia Central. Com sua base de pesquisa localizada em Chicago, nos Estados Unidos da América, em 1986, Paul avançou sobre a obra de Harry Seeley de tal forma que reclassificou o entendimento dos dinossauros e como é feita sua divisão dentro do sistema dos Ornitísquios.

JOHN R. HORNER (1946 –)

John R. Horner é um paleontólogo norte-americano mundialmente conhecido por grandes avanços nos estudos dos dinossauros na América do Norte. Horner foi o responsável, não somente por descobrir e batizar o Maiassauro, como também desenvolver um trabalho que revolucionou o entendimento sobre família e vida social dentro do mundo dos dinossauros.

Principal investigador de sítios arqueológicos que continham ninhos e ovos, John Horner também foi conselheiro técnico e uma das inspirações para a série de filmes Jurassic Park.

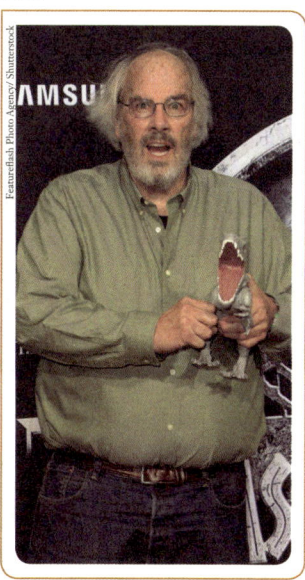

JOHN HORNER DESCOBRIU E BATIZOU O MAIASSAURO, NA AMÉRICA DO NORTE

CONHECENDO OS DINOSSAUROS

FÓSSIL DE UM DINOSSAURO

FOSSILIZAÇÃO E SÍTIOS ARQUEOLÓGICOS

A busca por fósseis e seu preparo até a publicação de sua descoberta pode ser um processo extremamente demorado. Confira as técnicas de escavação e alguns dos principais sítios arqueológicos do mundo

A FOSSILIZAÇÃO

Para entender o processo de fossilização é preciso compreender o que ocorre quando uma criatura como um dinossauro morre. Depois de morto, seu corpo é subjugado por diferentes tipos de forças destrutivas da natureza. Isso implica em condições climáticas, tais chuvas, ventanias, deslizamentos, entre outras, e a ação de outras criaturas que poderiam comer a carne do animal morto se ainda fresca, bem como a ação de putrefação natural de todo e

FOSSILIZAÇÃO E PROCESSOS ARQUEOLÓGICOS

qualquer organismo vivo.

Após a ação de todas essas forças, o que sobra é enterrado e sofre o processo de fossilização. Essa fossilização pode ser dividida em três grupos distintos de processos.

O da moldagem – no qual as partes duras dos organismos desaparecem e deixam apenas os moldes do mesmo (como impressões nas rochas). O da conservação – no qual o material biológico é preservado parcial ou totalmente em rochas e outros materiais. E o mais comum é o da mineralização.

Nesse último, tratando em termos simples, os restos mortais do animal ou vegetal são cobertos por uma fina camada de sedimentos e outros minerais que petrificam os restos orgânicos duros – como ossos e dentes – que ficam preservados até serem encontrados pelos arqueólogos e paleontólogos.

A ESCAVAÇÃO E OS SÍTIOS ARQUEOLÓGICOS

Novos fósseis são encontrados de tempos em tempos, tanto por paleontólogos profissionais quanto por colecionadores e amadores que anseiam por sentir o gosto da aventura e a excitação da descoberta.

Ainda hoje, sítios arqueológicos consagrados como os do Deserto de Gobi ou mesmo nas pedreiras do período Cretáceo, no sudoeste da Inglaterra, provêm material de pesquisa novo para os cientistas que se aventuram neles. Esses sítios arqueológicos são formados por diversos tipos de rochas e sedimentos de rochas. Esses sedimentos são formados por fragmentos de outras rochas e de restos de organismos vivos.

Entre os principais materiais estão o barro e a lama que são feitos de minúsculas partículas de lama, enquanto o calcário (outro sedimentos predominante em sítios) contém os restos de bilhões de pequenos organismos, que foram cimentados juntos por minerais calcificados.

TIPOS DE SOLO

A maioria dos solos que possuem os três sedimentos de rocha mais encontrados em sítios arqueológicos, como rochas arenosas, barro e calcário, geralmente apresenta boas condições para a preservação de fósseis.

Contudo, outros fatores podem ser levados em conta ao se avaliar o tipo de solo de um sítio arqueológico. Rochas metamórficas, por exemplo, têm sido modificadas pela ação do calor e da pressão abaixo da superfície terrestre.

Graças a esses fatores, todo e qualquer fóssil que havia nesse tipo de solo já foi destruído. Rochas vulcânicas são outro tipo de sedimento que raramente contêm qualquer tipo de fóssil. Graças à ação do calor extremo da lava, todos os fósseis que poderiam existir em um terreno consumido por sedimentos vulcânicos já foi queimado junto com todo o material orgânico contido no solo.

Ainda assim, mesmo que as rochas vulcânicas sejam um péssimo sedimento para preservar fósseis, as pegadas de dinossauros ainda permanecem preservadas na superfície da lava.

Outro tipo de solo que foi descoberto como um grande e potencial preservador de fósseis foi o permafrost – um tipo de solo específico formado por terra, gelo e rochas permanentemente congeladas – encontrado em locais de temperaturas extremamente baixas, como na Sibéria ou na Antártica.

TÉCNICAS DE ESCAVAÇÃO

Uma vez em campo, os paleontólogos utilizam uma série de técnicas para que a escavação seja bem sucedida. Essas técnicas dependem não somente do tipo de solo em que o fóssil foi encontrado, como também da posição e do tamanho dos ossos.

A remoção e o transporte de fósseis podem levar alguns poucos minutos – quando no caso da descoberta de restos fossilizados por amadores – ou pode mobilizar um time inteiro de especialistas e paleontólogos.

Quando mobilizado, o time estuda todas as possibilidades de remoção do fóssil para o laboratório antes de sequer tocar no lo-

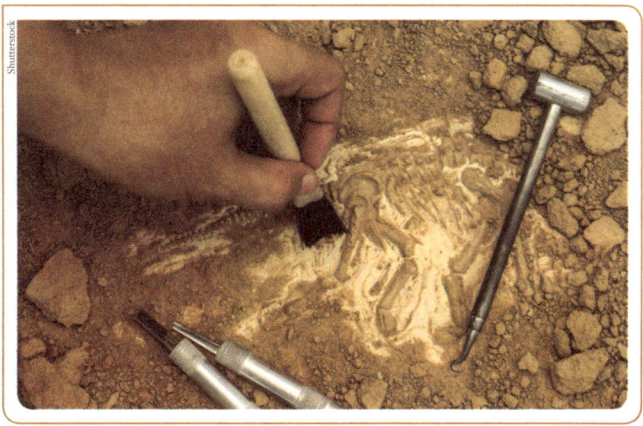

TÉCNICA DE ESCAVAÇÃO: FERRAMENTAS AUXILIAM O PROCESSO

CONHECENDO OS DINOSSAUROS

FERRAMENTAS DE UM PALEONTÓLOGO

ESCAVAÇÃO DE FÓSSIL

LIMPEZA E REMOÇÃO DE FRAGMENTO

EXEMPLO DE DELIMITAÇÃO POR QUADRANTE EM UM SÍTIO ARQUEOLÓGICO

cal em que o espécime está enterrado. Esse processo, bem como a escavação e remoção, podem levar dias, semanas ou até mesmo meses.

Normalmente o processo de escavação é feito aos poucos, com ferramentas como pequenas escovas (tipo pincéis ou escovas de dentes) e delicados martelos que vão aos poucos tirando a poeira e os sedimentos, bem como quebrando levemente as rochas mais frágeis em cima das ossadas.

Algumas rochas necessitam de equipamentos pesados como brocas e furadeiras com maior potência, contudo, na maioria dos casos apenas com um pouco de água e algumas escovas, os fósseis já são revelados e escavados. O redor das rochas não é removido inteiramente dos ossos no sítio, é preciso transportar a

FOSSILIZAÇÃO E PROCESSOS ARQUEOLÓGICOS

rocha toda – juntamente com os ossos – para o laboratório. "No campo, muitos espécimes são escavados como uma parte de um bloco que contém o fóssil inteiro e ainda ajuda a protegê-lo durante o transporte", explicam David Lambert, Darren Naish e Elizabeth Wyse, na obra "Encyclopedia of Dinosaurs & Prehistoric Life".

MAPEANDO O SÍTIO

Um mapa do sítio arqueológico é essencial para os paleontólogos quando se trata do posicionamento e da relação que aquele determinado fóssil tem com a região na qual está repousando.

Antes de realizar qualquer ação com a ossada, os especialistas mapeiam a área e a divide em quadrantes. Cada um desses quadrantes é estudado separadamente – apesar de seus achados serem vistos também como um todo da região do sítio – e neles é feito um diagrama com fotografias de cada um.

Esse processo pode revelar grandes dados sobre a estrutura das rochas do sítio, bem como sua formação e quais organismos morreram ali, e como foram preservados até a data da descoberta. Também os quadrantes são demarcados para que cada fóssil tenha sua devida classificação e não haja nenhum tipo de erro ou confusão com os restos fossilizados.

EMBALANDO PARA TRANSPORTE

Após a completa preparação em campo, pequenos fósseis podem ser apenas embalados com papel e permanecerem em saquinhos de coleta até o laboratório.

Já fósseis de maior porte exigem mais cuidado. O solo em volta e embaixo deles é escavado para que saia o bloco de rocha por inteiro. Após isso, o fóssil é embalado em tiras de papel e tecido que são molhadas em gesso.

Esse gesso recebe o nome de "jaqueta" e funciona da mesma forma que os gessos utilizados para o tratamento de fraturas dos membros em hospitais pelo mundo todo. Após essa camada de gesso estar dura, o bloco é envolto em plástico e transportado de volta ao laboratório. Esse transporte é feito através dos mais diferentes meios de locomoção, como aviões de pequeno porte, barcos e botes e até mesmo a carroças movidas a cavalo.

DENTRO DO LABORATÓRIO

A escavação e a descoberta de um novo fóssil é apenas a primeira parte do caminho para o entendimento daquele achado. É preciso, após encontrar os fósseis e retirá-los dos sítios arqueológicos, uma série de trabalhos até que seja feita sua publicação como descoberta científica.

Paleontólogos geralmente passam mais tempo dentro do laboratório do que no campo, graças às técnicas que necessitam ser utilizadas. É nos laboratórios que os fósseis são removidos de suas jaquetas protetoras – um invólucro feito de gesso – e começam a ser retirados das rochas.

O processo de separar o fóssil das rochas e dos sedimentos os quais está inserido é um dos mais trabalhosos, dentre todos os processos os quais esses restos mortais passam. Às vezes esse processo pode levar dias, meses ou até mesmo anos, para romper as rochas em volta do fóssil sem danificá-lo – devido também à grande fragilidade dele.

Tecnologias de ponta podem ser utilizadas – entre as quais estão os scanners em 3D e as máquinas de raio X, para que se tenha conhecimento da quantidade de ossos, bem como de sua localização, dentro da rocha trazida ao laboratório.

LIBERTANDO OS OSSOS

Uma vez que a determinada rocha chega ao laboratório – tendo sido extraída diretamente do sítio arqueológico e protegida por uma camada de gesso para assegurar que o fóssil não se rompa – ela já está pronta para ser trabalhada.

"Às vezes ela também contém informação importante a respeito da biologia do dinossauro, como restos fossilizados do conteúdo das vísceras ou da impressão da pele", conta o especialista Paul Barrett na obra "Dinossauros: Uma História Natural".

Assim, é preciso muito cuidado na hora de limar e romper a rocha, para que essas informações adicionais não sejam perdidas. Geralmente, são utilizados serrotes grandes feitos com dentes de diamantes. Esse serrote é usado apenas nas extremidades, por ser uma ferramenta muito bruta. Quando mais próximos do fóssil ou de qualquer resto fossilizado de importância, os cientistas utilizam pequenos instrumentos,

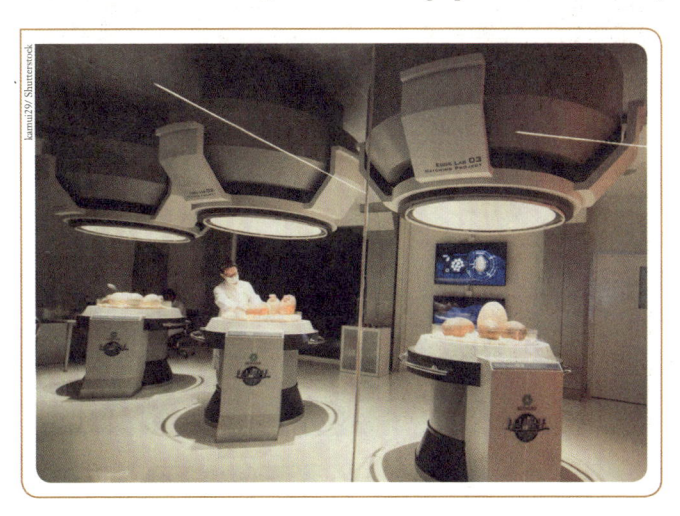

CONHECENDO OS DINOSSAUROS

LABORATÓRIO COM OVOS DE DINOSSAURO

semelhantes aos utilizados na odontologia.

Agulhas, facas, escovas e pequenos martelos são alguns desses instrumentos, que, feitos a partir de metais resistentes como o aço e o tungstênio, são usados para remover a rocha presa aos ossos, grão por grão.

PREPARAÇÃO EM ÁCIDO

Outra técnica muito útil para os cientistas e paleontólogos na retirada dos fósseis que encontram-se do meio das rochas e sedimentos é a preparação em ácido. Ao usar esses ácidos específicos, é possível a retirada da rocha ao redor do fóssil sem danificar a ossada.

Os mais utilizados na remoção de calcário são o ácido acético diluído e os ácidos fórmicos, enquanto outros ácidos são mais indicados para a quebra de rochas ricas em ferro ou mesmo sílica.

A preparação em ácido realmente faz maravilhas quando se trata da retirada de restos fossilizados das rochas. Contudo, é preciso tomar cuidado. Muitas vezes os ácidos utilizados são nocivos aos seres humanos, podem queimar a pele ao menor contato.

Assim, é sempre importante que o profissional esteja protegido por luvas, máscaras e roupas especiais. Os ácidos também devem ser monitorados constantemente durante o processo, uma vez que podem dissolver os fósseis de dentro para fora ao menor descuido.

DIAGRAMAS E PUBLICAÇÃO

Uma vez devidamente preparado, os paleontólogos podem descrever de forma detalhada a anatomia do fóssil e compará-lo com seus parentes e relativos de outras espécies.

As informações tendem a ser completas, ligando o fóssil a sua espécie, sua família e gênero, nomeando-o quando se tratar de uma nova criatura e reconstruindo nos mínimos detalhes todos os seus hábitos e dietas.

Após esse estudo, uma descrição de todas essas informações – geralmente revisadas por mais de um cientista para que os dados sejam de confiança – é publicada em um artigo científico feito para guiar o resto da comunidade científica.

Esse artigo, geralmente, também contém imagens e diagramas com as pesquisas e os testes feitos no fóssil. Ilustrações também podem ser feitas para reconstruir a aparência tanto da criatura quanto dos sistemas e órgãos internos do mesmo.

DATAÇÃO RADIOMÉTRICA

Um dos principais trabalhos realizados na paleontologia é a identificação correta das criaturas e plantas antigas que, para serem classificados de maneira exata e criteriosa, necessitam passar por uma série de testes.

Esses testes permitem determinar, com o máximo de precisão possível, qual a idade dos seres vivos. Entre as técnicas existentes, existe uma em particular que possui um grau maior de precisão, a datação radiométrica.

Nela, são utilizados isótopos radioativos, como o carbono 14 – que é um tipo de isótopo radioativo natural que parte do elemento carbono, mas que recebe essa numeração por apresentar número de massa 14 – que é um bom

PROCESSO DE LIMPEZA E MARCAÇÃO DO FÓSSIL DE DINOSSAURO

OSSO LIMPO E FERRAMENTAS DO PALEONTÓLOGO

FOSSILIZAÇÃO E PROCESSOS ARQUEOLÓGICOS

Separação de objetos em sítio arqueológico

CATALOGANDO OS ACHADOS

AS EXPEDIÇÕES QUE PARTEM A ESSES SÍTIOS ARQUEOLÓGICOS EM BUSCA DE RESTOS FOSSILIZADOS, RETORNAM COM CENTENAS DE OUTRAS PEQUENAS DESCOBERTAS – ALÉM DA OSSADA OU OBJETO ARQUEOLÓGICO PRINCIPAL.

ISSO É FEITO PARA, COM BASE EM UM OBJETIVO MAIS AMPLO, TENTAR CONTEXTUALIZAR O ACHADO PRINCIPAL ATRAVÉS DESSAS OUTRAS DESCOBERTAS DE MENOR PORTE, QUE GERALMENTE ESTÃO LIGADAS AO OBJETO PRINCIPAL.

PALEONTOLOGISTAS CRIARAM, AO LONGO DOS ANOS, UMA SÉRIE DE ÍNDICES DE FÓSSEIS – QUE POR SUA VEZ CONTÉM CARACTERÍSTICAS SOBRE AS MUDANÇAS, A LOCALIZAÇÃO E ATÉ MESMO COMO É POSSÍVEL IDENTIFICAR UM FÓSSIL SEMELHANTE, NEM QUE SEJA APENAS UM FRAGMENTO.

exemplo de elemento utilizado na datação.

O carbono 14 é absorvido, assim como outros isótopos radioativos, pelas plantas e seres vivos ao longo de suas vidas e quando morre, sofre uma queda dentro dos restos mortais, em que sua taxa vai diminuindo pela metade, a cada ciclo de 5.730 anos.

Assim, esse elemento – apesar de um dos mais utilizados para datação radiométrica – não é indicado para a datação de fósseis que ultrapassam os milhares de anos. O limite indicado para objetos, achados arqueológicos, plantas e seres vivos é de um período entre 40 e 60 mil anos, para que o carbono ainda tenha um grau de precisão confiável.

A DATAÇÃO EM FÓSSEIS

A datação radiométrica para fósseis – dadas as condições limitadas do isótopo radioativo natural carbono 14 – é feita com outros tipos de elementos que também são isótopos radioativos.

Esses elementos são utilizados de forma separada e cada qual possui sua determinada utilidade para a datação, dependendo do tipo de fóssil a ser analisado. O conceito, no entanto, é o mesmo utilizado no carbono 14.

Enquanto o dinossauro estava vivo seu corpo absorveu esses isótopos radioativos naturais, que sofrem naturalmente um decaimento em sua quantidade após a morte da criatura.

O decaimento é quando esses certos átomos de determinados elementos – chamados isótopos – apresentam instabilidade em seu núcleo, que emitem aleatoriamente determinadas partículas em certos instantes. Essa emissão é chamada de decaimento.

Cada tipo de elemento químico sofre um tipo de decaimento que ao decair, reduz sua quantidade a metade depois de certo tempo. Esse intervalo de tempo é fixo para cada elemento, e através dele é possível saber quantos anos o fóssil possui.

Para resumir, cada elemento absorvido pelas criaturas pré-históricas fica no corpo após a morte por um tempo, e depois dessa determinada quantidade de anos ele é reduzido pela metade, e assim por diante.

O cobalto 56, por exemplo, possui uma meia vida (tempo no qual ele sofre um decaimento pela metade) de 77 dias. Isso quer dizer que após 77 dias que a criatura morreu, a quantidade de cobalto em seu tecido orgânico se dividirá pela metade.

Entre os outros elementos dispostos para datação radiométrica com suas meias-vidas estão o sódio 22 (2,6 anos), o urânio 232 (69 anos), o carbono 14 (5.730 anos), o urânio 234 (245.000 anos), o berílio 10 (1.360.000 anos) e o potássio 40 (1.277.000.000 anos).

O PROCESSO EM FÓSSEIS

Os processos para realizar esse tipo de datação exigem extensivos cálculos e são extremamente complexos. Assim que um fóssil é localizado, é necessário determinar qual a quantidade de isótopos radioativos nele, e quais são esses isótopos.

Uma vez feita a apuração dessas quantidades, é feita a coleta de uma amostra, que vai diretamente para o laboratório a fim de identificar uma taxa de decaimento para a amostra.

Além da taxa de decaimento, também é medida a quantidade de material presente na amostra a fim de comparar os valores com os de decaimento padrão para o elemento avaliado, utilizando técnicas específicas de estatística de calibração.

Todo o procedimento é extremamente complexo e exige técnicas específicas de apuração para a medição dos elementos, a retirada e coleta de amostras, bem como para a calibração para os determinados resultados.

Se a amostra do material coletado estiver com impurezas, isso pode ser um grande obstáculo para os cientistas. Contudo, esse continua a ser um dos exames mais precisos e confiáveis, e tem rendido ótimos resultados no campo da paleontologia, ao determinar as idades dos fósseis com grande precisão.

CONHECENDO OS DINOSSAUROS

OS 10 PRINCIPAIS SÍTIOS ARQUEOLÓGICOS

Existiram ao longo da história diversos naturalistas que fizeram grandes descrições e descobertas acerca dos dinossauros e dos fósseis pré-históricos, bem como outros tantos paleontologistas a realizarem um trabalho excepcional em seus campos de estudo. Confira alguns dos mais importantes paleontologistas da história.

Lyme Regis

Costa com formações rochosas do período Jurássico em Lyme Regis, Inglaterra

Os penhascos da costa de Lyme Regis, localizados a sudoeste da Inglaterra, estavam entre um dos mais promissores e primeiros sítios arqueológicos do início do século XIX. Lá foram encontradas diversas criaturas dos mares do período Jurássico, e entre elas estão o Icthyosaurus e o Plesiosaurus.

Riversleigh

Riversleigh, na Austrália: fósseis de cangurus, leões marsupiais, crocodilos, cobras e pássaros gigantes

Descoberta em 1900, a pedreira de Riversleigh, localizada na região de Queensland, na Austrália, detém o recorde de densidade sobre os achados fósseis. Até 1983 a pedreira não foi considerada um sítio arqueológico muito promissor.

A partir de 1980 foram achados uma série de restos fossilizados datados do período neogênico, que incluíam mamíferos marsupiais como cangurus, e até mesmo leões marsupiais, além de crocodilos, cobras e pássaros gigantes.

Rancho La Brea

Museu e sítio arqueológico La Brea, em Los Angeles

Localizado em plena cidade de Los Angeles, nos Estados Unidos, a região é conhecida como Rancho La Brea (a expressão vem do espanhol e significa "Rancho do Poço de Piche"), por conter poços de alcatrão, ou piche, em que animais datados da Era Glacial ainda permanecem presos.

Os primeiros ossos foram descobertos na década de 1870, apesar de escavações apropriadas só terem sido feitas no início dos anos 1900. Ao longo do século XX, foram recuperadas mais de 565 espécies dos poços de piche, os quais mamutes, tigres dentes de sabre, lobos, insetos, peixes e sapos eram a maioria.

O Vale da Lua

Vale da Lua, na Argentina

O Vale da Lua, localizado no oeste da Argentina, apesar de ser muito árido, é fonte de alguns dos mais importantes achados com relação a dinossauros. Entre os fósseis estão o Rhynchosaurus, bem como dois dinossauros terópodes do final do período Triássico, o Eoraptor e o Herrerasaurus. Ainda sim, mesmo com suas importantes descobertas, esse sítio só foi descoberto na década de 1950 e apenas na década de 1980 que as escavações nele começaram a dar frutos.

Solnhofen

Fóssil de peixe encontrado em Solnhofen

As pedreiras de Solnhofen, na Alemanha, são um dos mais prestigiados e importantes sítios arqueológicos do mundo. Foi descoberto que as pedreiras alemãs, pelos estudos em seus calcários, eram um raso mar tropical cheio de ilhas dispersas ainda na época dos dinossauros.

Com isso, os calcários de Solnhofen preservaram diversos restos fossilizados de peixes daquelas eras, bem como os fósseis de dinossauros importantes, como o Compsognathus, e até mesmo o famoso Archaeopteryx, descoberto em 1861.

FOSSILIZAÇÃO E PROCESSOS ARQUEOLÓGICOS

O MUNDO

Olduvai

DESFILADEIRO DE OLDUVAI, TANZÂNIA

Olduvai, localizado na Tanzânia, é outro dos mais importantes sítios arqueológicos do mundo, por conta de ter preservado em suas terras alguns dos restos humanos mais antigos já conhecidos. Outros mamíferos pré-históricos foram descobertos na década de 1960, pelos paleontólogos Louis e Mary Leakey, como elefantes, zebras, porcos e hipopótamos.

Como Bluff

O vasto depósito de fósseis de dinossauros datados do período Jurássico Como Bluff, localizado no Estado de Wyoming nos Estados Unidos da América, foi descoberto ainda na década de 1870.

Na época, foi achado graças a uma obra da companhia Estradas de Ferro da União do Pacífico (em inglês, Union Pacific Railroad). De lá, saíram os restos fossilizados de alguns dos principais dinossauros já descobertos, como o Apatosaurus, o Diplodocus e o Camarasaurus.

Centenas de outras espécies também foram descobertas ainda na década de 1890 por expedições feitas pelo Museu Americano de História Natural.

Penhascos Flamejantes

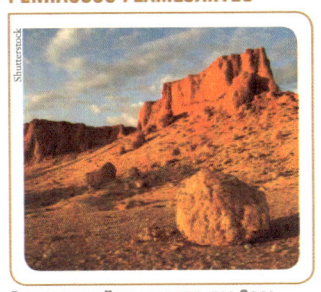

PENHASCOS FLAMEJANTE, EM GOBI

A região dos penhascos flamejantes na Mongólia – localizada no Deserto de Gobi – produziu um dos mais belos e produtivos sítios arqueológicos de toda a história. Alguns dos dinossauros mais conhecidos do mundo vieram dessa região.

O sítio foi descoberto ainda durante a década de 1920, pelo paleontólogo Roy Chapman Andrews liderou uma expedição até os penhascos a fim de encontrar fósseis de dinossauros.

Desde então, foram encontrados fósseis de espécies como o Protoceratops, o Oviraptor e o famoso Velociraptor.

Sibéria

MONUMENTO DEDICADO AOS ACHADOS ARQUEOLÓGICOS NA REGIÃO DE NADYM, NA RÚSSIA

A Sibéria, localizada na Rússia – apesar de parecer uma região inóspita para muitos seres humanos – é um dos mais fascinantes sítios arqueológicos existentes, por conter os restos fossilizados de diversos animais da Era Glacial, como os mamutes, por exemplo.

A região ao norte da Sibéria ainda prové um método único de preservação através do permafrost (ou pergelissolo) – que consiste em um solo específico de regiões árticas, formado por terra, gelo e rochas permanentemente congeladas – que preserva os restos mortais das criaturas com suas partes, ossos e até mesmo presas.

Messel

SELO DE 1978 COM O FÓSSIL DE UM MORCEGO ACHADO EM MESSEL

A Alemanha não possui somente as pedreiras de Solnhofen, mas também as pedreiras de Messel – localizada no município de mesmo nome, no sudoeste alemão – que foram responsáveis por milhares de achados pré-históricos até hoje.

A maioria desses achados data do período Paleogênico – quando os mamíferos estavam se diversificando e se afirmando no mundo – e variam entre gambás, morcegos, roedores, primatas e cavalos primitivos, peixes predadores, répteis, pássaros, cobras, crocodilos, sapos, insetos e até mesmo plantas.

O sítio arqueológico de Messel é considerado, graças a sua imensa variedade de fósseis, um dos mais importantes do mundo desde sua descoberta, ainda durante o século XIX.

CONHECENDO OS DINOSSAUROS

A CIÊNCIA DOS DINOSSAUROS

Descubra as principais linhas da paleontologia e como funciona a ciência que estuda os seres antigos

A palavra **paleontologia** se originou dos termos gregos *palaios* (antigo), *onto* (ser) e *logos* (ciência, estudo). Assim, tanto na etimologia quanto em seu campo de estudo oficial, a paleontologia é responsável pelo estudo dos seres antigos.

Com isso, a paleontologia faz parte das ciências naturais responsáveis por estudarem a vida na terra – desde sua biologia até sua geologia e história – passando pela reconstrução de seres vivos extintos e a origem e evolução das espécies, bem como o processo de descoberta, estudo, classificação e mensuração de fósseis.

Para essa classificação, é possível aos paleontólogos se valerem de alguns tipos de princípios estabelecidos. De qualquer forma, existem diversos ramos dentro da paleontologia que por sua vez dividem as tarefas entre diversos especialistas. Confira alguns deles.

PALEONTOLOGIA

OUTROS CAMPOS DE ESTUDO

Estratigrafia e bioestratigrafia

É um dos ramos da geologia que trata do estudo das rochas estratigráficas e a descrição de todos esses corpos rochosos e suas várias camadas dentro da crosta terrestre.

Sua função assim, além do estudo das rochas, é mapeá-las e estabelecer não somente a relação de seu espaço como a sucessão de seu tempo – como uma interpretação da história geológica.

Assim, ela é diretamente ligada à paleontologia, uma vez que os fósseis podem se encontrar em camadas diferentes de rocha e assim, sendo necessário o uso da estratigrafia para achá-los ou datá-los.

Esse ramo, dentro da estratigrafia, que estabelece o tipo de camada geológica e a define pelos tipos de fósseis encontrados nelas, é chamado de bioestratigrafia.

Icnologia

A icnologia é a ciência que estuda e lida com os traços, ou rastros, deixados pelo comportamento e pelos hábitos dos animais – bem como suas pegadas e tocas – que seriam outros vestígios de comportamentos.

É comumente relacionada como um ramo da geologia, apesar de que também pode ser um ramo da paleontologia ao se estudar os traços e rastros de animais pré-históricos e dinossauros, por exemplo. O nome desse ramo é paleoicnologia, enquanto o estudo dos rastros para animais modernos é chamado de neoicnologia.

Micropaleontologia

É o estudo dos fósseis de pequenas dimensões – descritos como microfósseis, suas dimensões podem ser de até 2 milímetros – o que torna esse um campo extremamente restrito ao uso de instrumentos de ampliação, como microscópios.

Paleogenética

A paleogenética é um ramo relativamente novo dentro das ciências naturais e liga a paleontologia à genética de modo que o principal objetivo da área é analisar os papéis de genes específicos e delimitá-los considerando seu valor, e importância, biológico.

O primeiro laboratório de paleogenética, e o pioneiro de toda a América Latina, se localiza nas dependências da Universidade Federal do Pará – UFPA.

Paleopatologia

A paleopatologia é um dos muitos campos de estudo possíveis na paleontologia, e se destina a estudar as doenças e males antigos. Essas doenças antigas – que podem possuir centenas ou talvez milhares de anos – acabam preservadas nos fósseis dos dinossauros.

É possível reconhecer que o fóssil possui algum tipo de doenças por algumas de suas características como, por exemplo, crescimentos peculiares em algumas regiões da ossada, podem indicar que a criatura teve aquela determinada doença enquanto viva.

Por meio desse campo de estudo é possível saber com certa precisão se as fraturas em determinadas estruturas dos fósseis – como um chifre ou uma mandíbula – foram causadas através de combate ou defesa.

Assim, as fraturas vistas nos dinossauros nem sempre são sinais de doenças, mas podem revelar muito sobre seus hábitos – bem como que tipos de machucados eram fatais aos dinossauros e como sobreviviam aos mesmos.

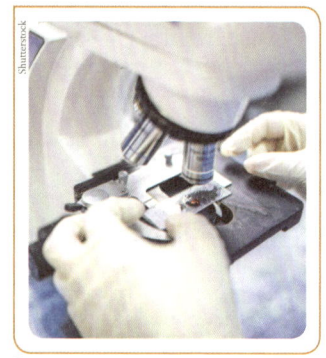

PROCURA POR ORGANISMOS MICROSCÓPICOS

INVESTIGAÇÃO MICROSCÓPICA

As investigações de restos fossilizados feitos através do microscópio não são recentes. Estudos são feitos dessa forma desde o começo dos dias da paleontologia, contudo, com os avanços tecnológicos do século XX e XXI, foi possível ter imagens e informações mais detalhadas dos fósseis.

"Microscópios eletrônicos de varredura permitem que muitos detalhes possam ser vistos em ossos fossilizados. Eles tem também revelado micro-organismos fossilizados pela primeira vez, ajudando paleontologistas a aprender mais sobre os ambientes em que animais grandes viviam", contam David Lambert, Darren Naish e Elizabeth Wyse na obra "Encyclopedia of Dinosaurs & Prehistoric Life".

Os novos equipamentos permitem que os restos fossilizados sejam explorados de outras maneiras. Tomografias, por exemplo, são utilizadas para mostrar os fósseis por dentro. Os raios X também mostram evidências de estruturas internas, até então não percebidas pelos paleontólogos, como complexos tubos ocos nas cavidades cranianas de alguns dinossauros com bico de pato.

Esses maquinários, assim, abriram um campo muito maior de análises para os paleontólogos – uma vez que pelos fósseis serem frágeis e quebradiços, não era possível examinar o seu interior.

CONHECENDO OS DINOSSAUROS

Estruturas complexas são recriadas através das tomográficas computadorizadas e transformadas em imagens com três dimensões, ou imagens 3D, para acompanhar a localização de nervos, músculos e até mesmo veias e sangue.

Os micro-organismos

Ao examinar os fósseis, cientistas foram capazes de descobrir alguns dos mais diversos micro-organismos que viviam dentro das criaturas – com o auxílio de microscópios e outras tecnologias específicas.

Microscópios eletrônicos de varredura são usados, assim, para a localização e classificação de bactérias e plânctons. As análises também se estendem aos fósseis de plantas – na tentativa de encontrar esporos ou outras células.

Paleobotânica

A paleobotânica é um dos campos de estudo da paleontologia – delimitado ao estudo dos fósseis de plantas – com o objetivo de compreender através deles a evolução das plantas e também de sua composição nos ambientes pré-históricos.

"Plantas fossilizadas são usadas por cientistas para reconstrução de ambientes pré-históricos, e para entender o relacionamento entre as sementes destas plantas. Desde que os fósseis de plantas são menos completos que os de animais, muitas questões sobre a evolução das plantas permanecem sem resposta", explicam os autores David Lambert, Darren Naish e Elizabeth Wyse na obra "Encyclopedia of Dinosaurs & Prehistoric Life".

Assim, os fósseis mais antigos já encontrados pelos cientistas datam do Pré-Cambriano, com uma série de algas que viviam em mares rasos e que permaneceram fixadas por estromatólitos. Graças à paleobotânica, foi possível descobrir que as plantas não apareceram em terra até 410 milhões de anos atrás, enquanto que as primeiras plantas terrestres com seus sistemas de raízes desconexos só surgiram durante o período Devoniano.

Foi somente por volta da Era Mesozoica que as coníferas e as palmeiras apareceram, seguidas das plantas com flores somente no período Cretáceo – sendo esse o período final da existência dos dinossauros.

Identificando os fósseis

Muitas vezes é extremamente difícil para os cientistas identificarem qual o tipo de fóssil que estão lidando e, principalmente, montar uma figura completa daquele tipo de planta. Isso porque a maioria dos fósseis de plantas são encontrados separados.

Isso acontece graças ao modo como as plantas acabam sendo fossilizadas, que torna seus fósseis não somente muito frágeis, como também fragmentados, muitas vezes, em diversos pedaços. Assim, os cientistas dão a esses pedaços vários tipos de nomes – mesmo que descubram posteriormente que se tratava do fóssil da raiz e do caule da mesma planta – a fim de separá-los de forma mais organizada e depois juntá-los de modo a descobrir qual planta era.

"Algumas vezes a mesma parte aparece fossilizada de formas diferentes, como se em uma impressão ou em um molde. Cientistas combinam informações de cada parte, extraídas de uma variedade de tipos de fósseis, para construir uma figura de uma planta completa", explicam os autores David Lambert, Darren Naish e Elizabeth Wyse na obra "Encyclopedia of Dinosaurs & Prehistoric Life".

Um bom exemplo de fóssil de planta encontrado em diversas partes foi a samambaia Lepidodendron, uma planta muito comum durante o período Carbonífero.

Principais partes de plantas fossilizadas

Algumas partes de plantas são mais comuns serem encontradas nos diversos fósseis descobertos ao longo das décadas e séculos de escavações. A maioria dessas partes foi encontrada graças à área na qual as plantas foram

FÓSSIL DE LEPIDODENDRON, PLANTA DO PERÍODO CARBONÍFERO

ESTROMATÓLITOS À BEIRA DO MAR

PALEONTOLOGIA

descobertas.

Tratava-se de um depósito de sedimentos localizado próximo a algum lago ou mesmo a um pântano. Nele, as partes mais

LEPIDODENDRON FOSSILIZADO

comuns descobertas foram as folhas, as raízes e até mesmo os frutos dessas plantas.

Um detalhe à parte nessas descobertas eram as sementes que permaneciam em um estado imaculado de preservação, ressaltando principalmente os detalhes. Contudo, outras partes são extremamente raras de serem encontradas como as frágeis pétalas de outros tipos de plantas.

PÓLEN FOSSILIZADO

O pólen é outro caso extremamente raro. A dificuldade de serem encontrados é altíssima assim como para os esporos levados pelo vento, que por conta de serem compostos de um material orgânico mais resistente, seus microfósseis são encontrados apenas em áreas ou rochas nas quais foi comprovado não haver qualquer outra forma de vida. Contudo, seu estudo especializado recebe o nome de palinologia. Nela são estudados todos os tipos de polens e esporos, até mesmo os que possuem milhares de anos. É muito mais fácil identificar um fóssil pelos seus polens, uma vez que essas estruturas possuem formatos específicos para cada tipo de planta.

Os polens – bem como as sementes das plantas fossilizadas – podem prover até mesmo informações sobre a estrutura reprodutiva desses seres, independente da idade do fóssil.

"Pólen fossilizado é também

PROCURA POR ORGANISMOS MICROSCÓPICOS

vital para datar rochas das quais nenhum outro resto fossilizado tem sido recuperado", completam David Lambert, Darren Naish e Elizabeth Wyse na obra "Encyclopedia of Dinosaurs & Prehistoric Life".

RECONSTRUINDO OS CLIMAS

As plantas fossilizadas também têm outra importantíssima função, além de indicar qual o tipo de flora que existia há milhares de anos. Elas indicam quais os tipos de climas os quais os dinossauros ou seus antepassados estavam submetidos.

Os cientistas, para descobri-

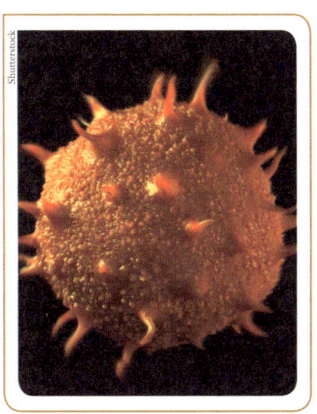

GRÃO DE PÓLEN MICROSCÓPICO

rem sob qual tipo de clima a planta estava inserida, estudam a densidade dos estômatos – estruturas porosas nos quais os fases passam para dentro e para fora das plantas – em folhas fossilizadas.

Assim, quando maior a densidade do estômato, mais baixa era a quantidade de dióxido de carbono na atmosfera. A mesma coisa acontece com os polens datados da época pleistocênica – que servem para identificar eras glaciais.

Isso porque as plantas árticas eram mais predominantes durante as fases de extremo frio no planeta Terra. Essa condição é refletida em condições climáticas opostas também, por exemplo, plantas subtropicais eram mais preponderantes quando todo esse gelo glacial começava a esquentar.

PALEOECOLOGIA

A paleoecologia é a ciência responsável por utilizar os conhecimentos modernos sobre os modelos ecológicos atuais a fim de reconstruir com o maior grau de precisão possível os modelos ecológicos, e os estilos de vida, do passado.

Assim, examinando cuidadosamente os organismos fossiliza-

CONHECENDO OS DINOSSAUROS

de nichos compostos por habitats e animais, que por sua vez são adaptados àquele nicho – que é composto de ambientes, temperaturas e condições específicas.

Em resumo, cada criatura nasce e cresce em um tipo de ambiente – com condições e temperaturas específicas – e se adapta a ele de tal forma que é possível entender como os organismos habitavam esses locais e como sobreviviam e coexistiam, através da examinação de seus fósseis.

NAS PROVÍNCIAS

A comparação entre ambientes diferentes – descritos em localidades diferentes – mas pertencentes a um ecossistema semelhante pode contribuir para o entendimento do modo de vida de algumas criaturas. Um exemplos encontrados em sedimentos e rochas, é possível aos cientistas entenderem os ecossistemas nos quais esses organismos viviam.

Acima disso, é possível a eles entender de forma mais detalhada em qual tipo de ambiente essas criaturas estavam inseridas e como se desenvolviam nele. Assim como no mundo moderno, os ambientes antigos estavam sujeitos a diversos tipos de climas e características.

Lugares como desertos, florestas, vales, pântanos, recifes e lagos são apenas alguns dos ambientes nos quais os dinossauros e outras criaturas antigas viveram e os quais os cientistas já sabem que existiram durante a Era Mesozoica. Cada habitat contém uma extensão de nichos ecológicos, que por sua vez são um conjunto

CANIS DIRUS: LOBO NORTE-AMERICANO

THYLACINUS CYNOCEPHALUS, MAIS CONHECIDO COMO LOBO DA TASMÂNIA

PALEONTOLOGIA

plo, moderno, sobre a adaptação das criaturas a diferentes ambientes que estão dispostos por um ecossistema semelhante é a Austrália. A vida na Austrália evoluiu mesmo com sua localização geográfica isolada, por milhares de anos.

Essas formas de vida se desenvolveram em mamíferos marsupiais que evoluíram em continentes separados, mas que possuíam nichos ecológicos similares. Um bom exemplo de animais com essas características são o Thylacinus – um marsupial australiano – e o Canis Dirus – um mamífero norte-americano.

Nos mares

Enquanto que os ambientes e ecossistemas eram decisivos para a evolução das criaturas, no mar o oposto acontecia. As criaturas eram as responsáveis pela mudança nos ambientes do planeta. Um exemplo disso são os depósitos de cal datados do final do período Cretáceo e que permaneciam em mares mais rasos. Neles, é possível perceber que a cal foi formada pela compressão dos corpos de milhões de pequenas algas chamadas cocolitóforos.

Assim, os fósseis marinhos podem revelar muito não somente sobre as mudanças que compuseram a costa dos continentes, como também explicar como eram os níveis dos oceanos terrestres naqueles tempos.

Outras informações podem ser providas das conchas – uma vez que alguns organismos são muito sensíveis a temperaturas. A Foraminifera – um protozoário marinho datado da época pleistocênica - se enrolava para a esquerda quando a temperatura fosse abaixo de 9°C, ou para a direita quando fosse maior.

Temperatura Global

Bolhas de ar congeladas presas em geleiras podem revelar como era a antiga atmosfera, do mesmo modo que as conchas marinhas fossilizadas podem servir não somente para descobrir como as criaturas marinhas viviam, mas a temperatura da água. Um indicador de temperaturas globais mais quentes eram as plantas que eram encontradas em latitudes mais elevadas graças às imensas florestas que cobriam grande parte do globo.

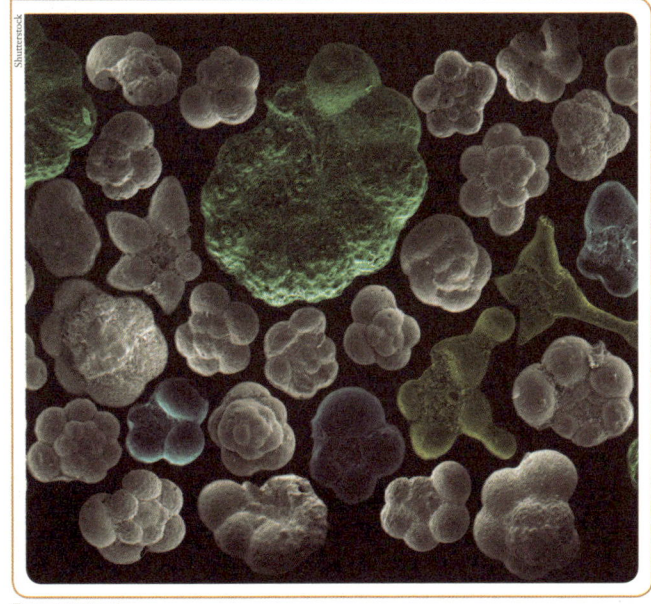

Reconstruindo um ecossistema

Paleoecologistas frequentemente escavam a terra à procura de fósseis e frequentemente são presenteados com, não somente o fóssil que esperavam, mas com um conjunto de restos fossilizados de plantas, vertebrados e até mesmo invertebrados. Isso acaba por levar os cientistas a reconstruir, de forma precisa e confiante, os habitats e ambientes em que essas criaturas estavam inseridas. O sítio arqueológico de Messel, na Alemanha, é um bom exemplo disso.

Nele, foram encontrados fósseis que permitiram aos paleoecologistas remontarem quase que por completo, uma comunidade inteira de criaturas e plantas datadas do início do período Terciário.

Ao todo, foram mais de 60 espécies de plantas e mais uma série de insetos – que se alimentavam destas mesmas plantas – e de vertebrados que comiam esses insetos, além de predadores carnívoros de maior porte.

Confrontos mantidos

Para a reconstrução desses ambientes é preciso que os paleoecologistas fiquem atentos aos detalhes. Nos restos fossilizados das criaturas é possível perceber muitos desses detalhes que ajudam a entender como elas foram parar ali.

Um exemplo desses detalhes são os confrontos nos quais essas criaturas se meteram antes de morrer e permanecer ali, até se tornarem fósseis. É possível, em algumas ocasiões, ver as marcas de dentes de um predador nos ossos de outro animal.

Em raras ocasiões, essas criaturas morreram ainda em combate, o que as deixaria ainda em uma posição de batalha ou mesmo com os restos mortais do outro animal em seu estômago.

Foraminifera

GUIA DOS DINOSSAUROS – PARTE III

ABRICTOSSAURO

O Abrictosaurus era um pequeno dinossauro que habitava as áreas que hoje são Lesoto e a África do Sul no começo do período Jurássico. Seu nome foi dado por J. A. Hopson em 1975, quando os primeiros restos fossilizados desse espécime foram descobertos.

O significado de "Lagarto – Vigilante" deriva de uma disputa entre os pensamentos de alguns paleontologistas. Alguns acreditam que o dinossauro se assemelhava aos heterodontossaurídeos que dormiam longe do verão quente dos desertos como alguns animais modernos fazem.

Contudo, outros paleontologistas acreditam – graças ao crescimento de seus dentes, que o Abrictosaurus era um animal ativo durante o ano todo. O conhecimento que se tem hoje sobre esse espécime é derivado de apenas alguns poucos restos fossilizados que consistiam em dois crânios e alguns fragmentos e pedaços de esqueleto.

OS DENTES

Os fragmentos fossilizados descobertos geraram grande fascínio por se assemelharem aos restos de Heterodontosaurus incluindo um arranjo similar de dentes, exceto por eles terem a falta de presas proeminentes. A possível explicação para isso é que assim como em animais modernos, é possível que apenas os machos possuíssem essas presas – utilizadas para exibição – sugerindo que os restos encontrados eram, na verdade, de fêmeas.

"Por outro lado, muitos grupos de animais modernos, como os porcos, têm presas proeminentes em alguns gêneros, mas não em outros", completa o paleontólogo escocês Dougal Dixon na obra "The World Encyclopedia of Dinosaurs & Prehistoric Creatures".

FICHA TÉCNICA
NOME: ABRICTOSAURUS
SIGNIFICADO: "LAGARTO – VIGILANTE"
ONDE FOI ENCONTRADO: LESOTO, ÁFRICA DO SUL
TAMANHO: 1,2 METRO
PESO: 45 QUILOS
ESTILO DE VIDA: HERBÍVORO
ESPÉCIE: A. CONSORS
CLASSIFICAÇÃO: RÉPTIL, ORNITHOPODA, HETERODONTOSAURIDAE

ACANTHOPHOLIS

O Acanthopholis é uma das primeiras espécies de anquilossauro encontradas no mundo. Seus restos fossilizados foram achados em 1867 pelo renomado cientista britânico Thomas Henry Huxley – a quem também foi atribuída a honra de definir o nome da espécie: Acanthopholis Horrida.

Já o dinossauro é conhecido apenas por restos parciais achados ao longo de uma praia próxima a Folkestone na região de Kent, na Inglaterra. É sabido – por ser uma espécie de ankylosaurus – que o animal era quadrúpede, herbívoro e possuía uma armadura de placas ovais em sua pele, enquanto na cauda, nos ombros e no pescoço possuía espinhos cônicos.

O Acanthopholis viveu durante a maior parte do período Cretáceo e é classificado também como um nodossaurídeo, não somente pela presença de sua armadura, mas também pelo formato de seus dentes.

NOMEN DUBIUM

"Nomen Dubium" é uma expressão em latim que significa literalmente "Nome Duvidoso" e é muito utilizada na nomenclatura zoológica para definir um nome científico que é aplicado de forma duvidosa. No caso do Acanthopholis, o espécime recebeu essa titulação por conta de muito do que se descobriu sobre ele ser apenas conjectural – baseado em conjecturas, especulações.

Desde sua descoberta, algumas partes encontradas podem não ser dessa espécie, mas sim de ornitópodes, saurópodes ou mesmo de tartarugas.

FICHA TÉCNICA
NOME: ACANTHOPHOLIS
SIGNIFICADO: "ESCAMAS ESPINHOSAS"
ONDE FOI ENCONTRADO: INGLATERRA
TAMANHO: 5 METROS
PESO: 380 QUILOS
ESTILO DE VIDA: HERBÍVORO
ESPÉCIE: A. HORRIDA
CLASSIFICAÇÃO: THYREOPHORA, ANKYLOSAURIA, NODOSAURIDAE

ACROCANTHOSAURUS

FICHA TÉCNICA

Nome: Acrocanthosaurus
Significado: "Lagarto de Espinha Alta"
Onde foi encontrado: Estados Unidos (Estados de Oklahoma, Texas e Utah)
Tamanho: 8 metros
Peso: 2.300 quilos
Estilo de vida: Carnívoro
Espécie: A. atokensis
Classificação: Theropoda, Carnosauria

O Acrocanthosaurus é um dos mais intrigantes dinossauros carnívoros do período Cretáceo. Mesmo não tendo sido tão grande quanto um Giganotosaurus, por exemplo, o Acrocanthosaurus ainda sim foi um dos mais terríveis terópodes que já habitaram a Terra. Sua altura poderia chegar a até 5 metros.

Pelo fato de ser maior, era também mais lento que seus parentes menores – como o Allosaurus por exemplo – contudo, suas características físicas o colocavam em vantagem contra praticamente tudo e todos.

Seus grandes olhos permitiam localizar presas a grandes distâncias e pequenas cristas em volta dos olhos o protegiam durante os combates. Seus 68 afiados dentes, somados a um crânio que possuía 1,3 metros de comprimento, faziam de sua mandíbula uma das mais poderosas dentre todos os dinossauros carnívoros.

Algumas pegadas encontradas na região do Texas, nos Estados Unidos, podem ser ligadas ao Acrocanthosaurus, o que se comprovado, pode indicar que eles caçavam em bando.

OS ESPINHOS

O nome do Acrocanthosaurus, que significa literalmente "Lagarto da Espinha Alta", é derivado da fileira de espinhos que possuía em suas costas. Essa espécie de "barbatana" feita com espinhos era ligada diretamente à coluna vertebral do animal, e cada espinho possuía cerca de 50 centímetros. Isso poderia corresponder a até duas vezes e meia a altura das vértebras do Acrocanthosaurus, o que sugere que esses espinhos eram sustentados por músculos ou pela própria cartilagem da "barbatana" que era espessa e carnosa.

"Ela deve ter sido brilhante, e usada como identificação e para sinalização", explica o paleontólogo escocês Dougal Dixon, sobre a função desses espinhos e dessa longa "barbatana" na obra "The World Encyclopedia of Dinosaurs & Prehistoric Creatures".

RITUAL DE ACASALAMENTO

Outras teorias possíveis para a utilização dos espinhos, mesmo que os especialistas ainda não possam afirmá-las, são as do uso para defesa corporal, para controlar a temperatura – como no caso do Stegosaurus – ou mesmo para atrair um parceiro.

Os acrocanthosaurus possuíam um ritual de acasalamento em que o macho aparecia diante da fêmea portando um recheado pedaço de carne, cheio de sangue, e que era avaliado pela fêmea que poderia aceitá-lo ou não.

Se aceito, o cortejo do macho era iniciado e diversos presentes e exaustivas exibições físicas eram feitas a fim de conquistar a atenção da fêmea. O objetivo era provar para a pretendente que o macho era ao mesmo tempo forte e capaz de proteger a fêmea, bem como às suas crias.

GUIA DOS DINOSSAUROS

AEGYPTOSAURUS

Dinossauro: Leandro Sales/ Cenário: Bernardo Furlanetto

Ficha técnica

Nome: Aegyptosaurus
Significado: "Lagarto Egípcio"
Onde foi encontrado: Egito
Tamanho: 15 metros
Peso: 30 toneladas
Estilo de vida: Herbívoro
Espécie: A. baharijensis
Classificação: Sauropoda, Macronaria, Titanosauria

Quando encontrado em 1932 pelo renomado paleontologista alemão Ernst Stromer Von Reichenbach – o que consistiu em um dos mais extraordinários achados arqueológicos da primeira metade do século XX – era o esqueleto mais completo de titanossaurídeo já conhecido até então. Quando montado pela primeira vez, o esqueleto possuía apenas algumas vértebras, mas foram encontrados todos os membros, o que dava aos cientistas uma base importantíssima sobre as proporções desses membros, incluindo os pontos de ligação entre os músculos que eram distintos de outros titanossaurídeos como o Saltasaurus e o Argentinosaurus. Por ter um corpo enorme e um caminhar lento, além de ser herbívoro e viver em um ambiente hostil, o Aegyptosaurus foi muito provavelmente alimento constante de grandes carnívoros que habitavam o norte da região onde seria a África, como o Spinosaurus e o Carcharodontosaurus.

Contudo, o esqueleto encontrado pelo paleontologista alemão foi completamente destruído durante os bombardeios da Segunda Guerra Mundial. Apesar de terem sido feitos inúmeros artigos com suas características e seu estudo, ainda sim representou uma das maiores perdas para a paleontologia e o estudo dos dinossauros.

AFROVENATOR

Ficha Técnica
Nome: Afrovenator
Significado: "Caçador Africano"
Onde foi encontrado: Níger
Tamanho: 8-9 metros
Peso: 1,3 a 2,5 toneladas
Estilo de vida: Carnívoro
Espécie: A. abakensis
Classificação: Theropoda, Carnosauria

O Afrovenator foi um dinossauro carnívoro que viveu no início do período Cretáceo nas terras que hoje são o Níger, um país africano. Descoberto durante uma exploração da Universidade de Chicago (EUA) e liderada pelo paleontologista Paul Sereno, o espécime constituiu na década de 1990, um dos mais completos esqueletos de terópode africano.

A similaridade com o Allosaurus, um dinossauro carnívoro que só foi encontrado na América do Norte, sugere que na época do Afrovenator os dois continentes ainda eram unidos. Assim como seu semelhante norte-americano, esse espécime possuía características de um caçador nato.

Seus membros inferiores eram fortes e resistentes mostrando sua clara aptidão para caça enquanto seus membros superiores eram muito mais longos e fortes que os de outros terópodes, como o próprio Allosaurus. Suas garras eram curvadas o bastante para que – aliadas a esses característicos braços únicos – pudessem agarrar e segurar sua presa.

Seu esqueleto era bem leve para seu tamanho, e sua cauda era endurecida por uma sobreposição de suportes ósseos, o que faziam com que o Afrovenator tivesse maior estabilidade em sua corrida, bem como em seus movimentos.

GUIA DOS DINOSSAUROS

ALAMOSAURUS

Dinossauro: Leandro Saluzi Cenário: Bernardo Furlanetto

FICHA TÉCNICA
Nome: Alamosaurus
Significado: "Lagarto de Ojo Alamo"
Onde foi encontrado: Estados Unidos (Novo México, Utah e Texas)

Tamanho: 21 metros
Peso: 80 toneladas
Estilo de vida: Herbívoro
Espécie: A. sanhuanensis
Classificação: Sauropoda, Macronaria, Titanosauria

O Alamosaurus foi um dinossauro quadrúpede, herbívoro e que viveu nas terras que hoje pertencem aos Estados Unidos da América (EUA) durante o final do período Cretáceo. Seu nome significa "Lagarto de Ojo Alamo" graças aos espanhóis que chamavam os algodoeiros da região em que o dinossauro foi descoberto de Álamo.

Quando descoberto, em 1922, os primeiros restos fossilizados do Alamosaurus estavam presentes em rochas do Novo México e de Utah, datadas do período Cretáceo.

Contudo, na região do Alasca, podem ser encontradas rochas do mesmo período e com idade similar à dos fósseis e mesmo assim nenhum Alamosaurus foi descoberto lá. Isso abriu campo para a discussão de que o clima da região era um fator decisivo para a distribuição dessa espécie de dinossauro.

Diversos esqueletos parciais foram descobertos em diversas partes da América do Norte, porém, um sítio arqueológico no estado do Texas guardava os ossos de um Alamosaurus adulto e dois mais jovens, o que sugere que essa espécie de dinossauro possuía uma estrutura familiar bem consolidada.

Um estudo tem sugestionado que a população total de Alamosaurus no Texas, em algum período de tempo, deveria ter sido aproximadamente de 350.000 indivíduos.

Isso deveria representar uma densidade de aproximadamente um a cada 2 Km², explica o paleontólogo escocês Dougal Dixon na obra "The World Encyclopedia of Dinosaurs & Prehistoric Creatures".

ALBERTOSAURUS

Ficha Técnica
Nome: Albertosaurus
Significado: "Lagarto de Alberta"
Onde foi encontrado: América do Norte (Canadá e Estados Unidos)
Tamanho: 8,5 metros
Peso: 2 toneladas
Estilo de vida: Carnívoro
Espécie: A. sarcophagus, A. grandis
Classificação: Theropoda, Tetanurae, Tyrannosauroidea

Os primeiros restos fossilizados desse dinossauro foram encontrados na região de Alberta, no Canadá, pelo então paleontologista J. B. Tyrrell em 1884. O Albertosaurus foi um dos mais abundantes e letais predadores que viveram nas terras que hoje correspondem à América do Norte. Esse dinossauro era comumente visto nas vastas planícies do tardio período Cretáceo, e apesar de seu grande peso, era um exímio corredor que perseguia implacavelmente suas presas, que eram na grande maioria ornitorrincos.

Albertosaurus x Tyrannosaurus

O Albertosaurus possuía hábitos e uma estrutura muito similar às dos Tyrannosaurus, mas por possuir apenas metade do tamanho deles, o Albertosaurus conseguia ser muito mais rápido. Também, existe um número muito maior de restos fossilizados desse espécime que de seu primo distante, o Tyrannosaurus. Seu crânio era mais pesado e os pequenos vãos de sua cabeça eram cercados por densas estruturas ósseas, enquanto seu focinho era mais longo e mais baixo. Sua mandíbula era consideravelmente menos profunda e seus braços eram menores, porém mais largos que os do Tyrannosaurus.

GUIA DOS DINOSSAUROS

ANKYLOSAURUS

FICHA TÉCNICA

Nome: Ankylosaurus
Significado: "Lagarto Fundido"
Onde foi encontrado: América do Norte (Canadá e Estados Unidos)
Tamanho: 11 metros
Peso: 4 toneladas
Estilo de vida: Herbívoro
Espécie: A. magniventris
Classificação: Thyreophora, Ankylosauria, Ankylosauridae

O Ankylosaurus foi um enorme dinossauro que habitou as terras que hoje competem a América do Norte durante o final do período Cretáceo. Entre as principais características físicas desse animal, estão suas grandes couraças ósseas e espessas.

Essas couraças, por sua vez, consistiam de placas que se inseriam na pele do dinossauro e que somadas aos espigões pontiagudos que sobressaiam de seu dorso e da extensão de sua cauda, o tornavam um animal muito bem protegido. Grandes chifres eram projetados da parte posterior de seu crânio. Desde que havia sido descoberto em 1908, até a década de 1970 quando foi reexaminado, o Ankylosaurus era retratado como uma mistura de ancilossaurídeos com nodossaurídeos.

Defesa

Como sistema de defesa, o Ankylosaurus possuía suas enormes placas ósseas que mesmo servindo como um bom escudo, não eram intransponíveis. Assim, era necessária alguma outra estratégia para sua segurança. O dinossauro se agachava e se colocava muito próximo ao chão para se proteger, uma vez que a parte inferior de seu corpo não possuía esses revestimentos resistentes. Pelo fato de ser quadrúpede, o Ankylosaurus possuía muito mais estabilidade corporal que seus atacantes.

"Ele correria perigo se o predador conseguisse virá-lo. Mas, como o Ankylosaurus pesava várias toneladas, também isso seria difícil", conta o especialista em dinossauros Paul Barrett na obra "Dinossauros: Uma História Natural".

Formação da cauda

Outra proteção utilizada pelo Ankylosaurus era sua pesada cauda. Como os predadores que caçavam os dinossauros dessa espécie eram em sua grande maioria carnívoros altos e bípedes, o Ankylosaurus tinha vantagem por ser quadrúpede e ter maior estabilidade corporal.

Sua cauda possuía uma clava óssea pesada e resistente em sua ponta, que podia ser usada com grande potência graças aos músculos que o dinossauro possuía na base de sua cauda que davam maior força e estabilidade ao movimento da clava.

Devido ao peso do corpo dos predadores, uma batida certeira com a cauda do Ankylosaurus poderia ser o bastante para fazer os predadores tombarem e provocar com a queda uma grave fratura em alguns dos ossos desses terópodes. Os cientistas não sabem ao certo como essa cauda se formou, contudo, acreditam que ela tenha surgido de nódulos ósseos que antes eram embutidos na pele, mas que com o passar do tempo, esses nódulos foram se fundindo a ponto de se transformarem em uma única extremidade.

A travessia

Apesar dos Ankylosaurus serem descobertos apenas na América do Norte, outros integrantes da família Ankylosauridae viveram no leste da Ásia. Graças a isso, surgiu a teoria de que o primeiro grupo dessa espécie tenha evoluído primeiro na Ásia, ainda no período Cretáceo.

Durante esse período, as regiões que hoje são a Ásia e a América do Norte ainda eram ligadas por istmos, o que colocaria uma rota viável para que o Ankylosaurus se separasse de forma tão drástica do local onde residem os restos fossilizados de outros ancilossaurídeos.

Movimentos lentos

Graças a suas reforçadas placas ósseas, foi possível encontrar entre os restos fossilizados dos Ankylosaurus bons exemplares de seus crânios e suas cavidades cerebrais, o que permitiu a especialistas um estudo mais detalhado sobre como funcionava o cérebro de um Ancilossaurídeo.

Assim, foi possível descobrir que a parte do cérebro que controlava os movimentos e as atividades gerais desse dinossauro era muito pequena se comparada a de outros dinossauros, principalmente aos dos ornitópodes. Isso indica, portanto, que os Ankylosaurus possuíam movimentos muito lentos, independente da situação. O formato de suas pernas, com seus longos ossos nas coxas comparados com as canelas, também evidenciam que o animal possuía movimentos lentos.

Cérebro desenvolvido, olfato apurado

A parte mais desenvolvida de seu cérebro era a que lidava com os seus sentidos, principalmente o olfato. Evidências encontradas em fósseis de ancilossaurídeos sugerem que seus crânios possuíam um complexo labirinto de passagens nasais que funcionavam como uma espécie de sentido primário.

As passagens nasais eram provavelmente ligadas a membranas que umidificavam e aqueciam o ar que passava através delas até os pulmões, tornando o sentido muito mais aguçado, sugerindo assim que o olfato era o sentido mais confiável aos ancilossaurídeos. O ambiente em que esses ancilossaurídeos viviam também auxiliava na necessidade de desenvolverem um olfato com essas características, uma vez que alguns espécimes que viviam na Ásia habitavam ambientes muito secos.

Outra possibilidade para o uso dessas passagens nasais era a de que gerassem sons específicos para a comunicação dos mesmos. Isso poderia diferenciar a comunicação deles com a dos nodossaurídeos, por exemplo, que não possuíam tais passagens nasais complexas, mas sim um mero par de tubos que ligavam as narinas diretamente à passagem na garganta.

ANIMANTARX

Ficha técnica

Nome: Animantarx
Significado: "Fortaleza viva"
Onde foi encontrado: Estados Unidos (Estado de Utah)
Tamanho: 3 metros
Peso: 296 quilos
Estilo de vida: herbívoro
Espécie: A. ramaljonesi
Classificação: Thyreophora, Ankylosauria, Nodosauridae

O Animantarx foi uma espécie de dinossauro herbívoro que habitou as terras que hoje pertencem aos Estados Unidos da América (EUA) durante alguns estágios do tardio período Cretáceo.

Descoberto e nomeado em 1999, o Animantarx é conhecido apenas pelos seus poucos restos fossilizados, que consistem de um crânio parcial com um osso da mandíbula e um esqueleto incompleto com apenas alguns ossos das costas, costelas, a estrutura de um ombro e algumas partes das pernas. Por ser considerado um dinossauro de tamanho médio, e também por possuir um conjunto de placas ósseas curvadas, semelhantes a um bote de ponta cabeça, é comumente associado a outra espécie chamada de Pawpawsaurus.

Foi descoberto também que seu crânio possuía um conjunto de pequenos chifres pontiagudos, um atrás dos olhos na parte posterior do crânio e outro nas proximidades das bochechas.

Descoberta radiométrica

Algo curioso sobre a descoberta do Animantarx é que esse foi o primeiro dinossauro a ser encontrado graças à técnica de procura radiométrica. Na ocasião, um técnico da Universidade de Utah (EUA) chamado Ramal Jones sabia que os ossos dos fósseis eram levemente radioativos por conta dos componentes do solo.

Assim, ao procurar em um sítio arqueológico de Utah, persuadiu uma equipe da Universidade a escavar o local em que seus medidores indicaram que havia um nível de radiação um pouco mais forte. Não por acaso, acabou sendo descoberto o primeiro exemplar de Animantarx, provando assim que a técnica funcionava.

GUIA DOS DINOSSAUROS

ANSERIMIMUS

FICHA TÉCNICA
Nome: Anserimimus
Significado: "Imitação de Ganso"
Onde foi encontrado: Mongólia
Tamanho: 3 metros
Peso: Desconhecido
Estilo de vida: Onívoro
Espécie: A. planinychus
Classificação: Theropoda, Tetanurae, Ornithomimosauria

Encontrado por uma expedição de cientistas soviéticos e mongóis no deserto de Gobi, no final de 1970, o Anserimimus é uma espécie de dinossauro que viveu por volta do final do período Cretáceo. Entre as principais características sobre o Anserimimus, estão a que era um exímio corredor e uma espécie de terópode onívoro que – graças a seu pescoço alongado e braços fortes – cavava o chão em busca de alimentos como raízes, insetos e até mesmo ovos de dinossauros.

O que diferencia o Anserimimus de outras espécies do grupo dos Ornithomimidae é o tamanho dos músculos ligados aos seus membros superiores. Esses ligamentos indicam também que os músculos inferiores também eram particularmente fortes. Os ossos em suas mãos são bem aproximados e ligados de tal modo que formam uma rígida estrutura, que somadas às garras planas e semelhantes a cascos, dão outro diferencial à espécie.

ANTARCTOSSAURO

FICHA TÉCNICA
Nome: Antarctosaurus
Significado: "Lagarto do Sul"
Onde foi encontrado: América do Sul
Tamanho: 40 metros
Peso: 35-60 toneladas
Estilo de vida: Herbívoro
Espécie: A. wichmannianus, A. jaxarticus, A. brasiliensis
Classificação: Sauropoda, Macronaria, Titanosauria

O Antarctosaurus é um espécime de dinossauro quadrúpede e herbívoro que habitou no tardio período Cretáceo as terras que hoje competem a diversos países da América do Sul, não podendo assim ser definida uma única localidade para seus achados. O esqueleto original de Antarctosaurus, achado em 1929, proporcionou uma visão bem completa do animal. Esses restos fossilizados consistiam de um crânio com sua mandíbula, os ombros e partes das pernas e dos quadris.

É questionável ainda se todos os ossos daquele esqueleto pertenciam ao mesmo animal, uma vez que matérias questionáveis sobre o dinossauro tenham sido desenterradas também em regiões da Índia e da África.

ESTRUTURA CORPORAL
Possui estrutura corporal desproporcional uma vez que suas pernas são muito finas para o tamanho do animal e sua cabeça pequena contrasta com seus grandes olhos e seu focinho com apenas alguns dentes em forma de cavilha. Sua mandíbula – quadrada na parte frontal – sugere que o Antarctosaurus utilizava seus dentes de forma indiscriminada para comer as vegetações rasteiras, próximas ao chão.

ANTETONITROS

Ficha Técnica

Nome: Antetonitrus
Significado: "Antes do Trovão"
Onde foi encontrado: África do Sul
Tamanho: 10 metros
Peso: 1,5 tonelada
Estilo de vida: Herbívoro
Espécie: A. ingenipes
Classificação: Sauropoda, Sauropodomorpha

O Antetonitrus recebeu o nome de "Antes do Trovão" por conta do nome do Brontosaurus que significa "Lagarto Trovão". A referência foi feita por se descobrir que o Antetonitrus é de um grupo de saurópodes mais antigo que o dos Brontosaurus.

As evidências foram encontradas apenas em 2001, pelo paleontologista australiano Adam Yates que ao examinar melhor os ossos, descobriu que eles pertenciam a um saurópode – que posteriormente foi reexaminado por James Kitching (descobridor original dos fósseis) que concordou com as considerações de Yates.

Evidências Físicas

O Antetonitrus, mesmo sendo uma das menores criaturas em relação aos outros saurópodes – com um peso médio de 1,5 tonelada – ele ainda sim é maior que qualquer animal vivo hoje, o que pode dar uma proporção com relação ao tamanho dessas majestosas criaturas.

O espécime também apresenta evidências de um prossaurópode em suas mãos. Elas possuíam dedos com uma maior movimentação que davam ao Antetonitrus a habilidade de agarrar e apertar. De todo modo, o dinossauro foi considerado um dos mais primitivos saurópodes graças não somente a essa mistura em sua evolução, como também pelas suas pernas traseiras e os ossos curtos dos pés e das coxas. Esses ossos são adaptações que o espécime sofreu para que pudesse carregar um grande peso de forma permanente e equilibrada em todos os quatro membros.

"Este é o mais primitivo e verdadeiro saurópode já descoberto até então. Ele foi achado em rochas apenas levemente mais velhas que aquelas nas quais o Isanosaurus foi encontrado", explica o paleontólogo escocês Dougal Dixon na obra "The World Encyclopedia of Dinosaurs & Prehistoric Creatures".

GUIA DOS DINOSSAUROS

APATOSSAURO

FICHA TÉCNICA
Nome: Apatosaurus
Significado: "Falso Lagarto"
Onde foi encontrado: Estados Unidos (Colorado, Oklahoma, Utah e Wyoming)
Tamanho: 25 metros
Peso: 35 toneladas
Estilo de vida: Herbívoro
Espécie: A. Ajax, A. Excelsus, A. Louisae, A. Montanus
Classificação: Sauropoda, Diplodocidae

Dinossauro: Pablo Silva / Cenário: Bernardo Furlanetto

O Apatosaurus foi um dos saurópodes mais colossais que já andaram pelo planeta Terra. Além de ser um parente próximo do Diplodocus, também viveu nas mesmas regiões da América do Norte por volta do final do período Jurássico.

Seus dentes eram feitos em forma de pinos e dispostos bem à frente de sua boca, como se fossem um pente. Os desgastes encontrados nos dentes dos fósseis já descobertos indicam que o animal os usava para beliscar plantas e também para quebrar galhos inteiros.

Outra evidência desses hábitos foi apontada pelo seu crânio longo e baixo que além de possuir uma forma mais achatada, também possuía sinais de que o dinossauro tinha o costume de se alimentar arrancando desde folhas soltas a uma folhagem mais tenra.

O esqueleto do animal é outra fonte constante de descobertas. Suas vértebras eram escavadas, o que deixava seus ossos mais leves. Também, as concavidades dos ossos davam mais resistência às vértebras graças a suportes e placas ósseas finas.

OS LIGAMENTOS

O Apatosaurus possuía espigões bifurcados que eram ligados desde o topo dos ossos de seu pescoço até a parte anterior do dorso. Esses espigões funcionavam como pequenos estabilizadores, que somados, davam a sustentação necessária aos ligamentos do animal.

Esse espécime possuía um grande ligamento que – semelhante a um cabo de ponte – o ajudava a sustentar seu grande corpo, do pescoço alongado até sua enorme cauda. Uma teoria feita com base nos espigões dos ossos do quadril sugere que os Apatosaurus conseguiam se esticar muito mais que seu tamanho.

Isso porque os músculos dorsais ligavam-se aos espigões, o que poderia possibilitar a elevação de seus membros traseiros. Caso isso ocorresse, os Apatosaurus utilizavam sua robusta cauda como uma "terceira perna" e assim como em um tripé, alcançavam o topo das árvores mais altas em prol de uma melhor refeição.

MANCADA CIENTÍFICA

O Apatosaurus foi descoberto por volta de 1877 pelo professor Othniel Marsh – o mesmo paleontólogo envolvido na famosa "Guerra dos Ossos". Na ocasião, o professor Marsh deu-lhe o nome de Apatosaurus, que significa "Falso Lagarto".

Após dois anos da descoberta, o professor examinou outro conjunto de ossos fossilizados. Por pensar que se tratava de outra espécie de saurópode, uma até então desconhecida, Othniel Marsh o batizou como Brontosaurus – que significa literalmente "Lagarto Trovão".

Contudo, ninguém esperava que mais tarde fosse descoberto que os dois fósseis eram da mesma espécie e se tratava na verdade do mesmo dinossauro. Como o Apatosaurus foi o primeiro nome dado à espécie, o correto é chamá-lo dessa maneira, porém ainda é comum ouvir o nome Brontosaurus.

O erro científico só foi descoberto no século XX, deixando o animal com um "nome falso" por séculos.

ARALOSSAURO

Dinossauro: Leandro Sidoi Cendón / Bernardo Furlanetto

Ficha técnica

Nome: Aralosaurus
Significado: "Lagarto do Mar de Aral"
Onde foi encontrado: Cazaquistão
Tamanho: 6-8 metros
Peso: desconhecido
Estilo de vida: herbívoro
Espécie: AA. tuberiferus
Classificação: Ornithopoda, Hadrosauridae, Hadrosaurinae

O dinossauro denominado Aralosaurus, que significa literalmente "Lagarto do Mar de Aral", foi descoberto e descrito em 1968 pelo então paleontologista soviético A. Rozhdestvensky.

Esse espécime de dinossauro é caracterizado por ser da família Hadrosauridae e por ter habitado as terras que hoje correspondem ao território do Cazaquistão ainda durante o tardio período Cretáceo.

Seu tamanho, se comparado ao de uma criatura da era moderna, seria similar ao de um elefante e mesmo não sendo possível descobrir muito dos restos fossilizados desse dinossauro – que se resumem basicamente a parte de trás de um crânio com um distinto osso nasal – foi possível compreender alguns de seus hábitos. Seu crânio, por exemplo, indica a presença de uma mandíbula que possuía músculos próprios de um aparato mastigatório desenvolvido para mascar as plantas – algo semelhante ao ato de ruminar. Seus diferentes tipos de dentes em sua mandíbula podem sugerir o mesmo.

Também, a área da região nasal do animal implica em outra característica muito particular. Seu osso é apontado levemente para trás, e converge em um ponto bem em frente de seus olhos, o que sugere que esse espécime pode ter tido uma crista levemente similar a de um lambeossauríneo.

O animal é classificado como pertencente à família Hadrosauridae, que consiste em um grupo de dinossauros conhecidos como "bicos de pato" por conta da aparência de suas bocas que se assemelham a um bico. Seus membros pertencem à classificação dos Ornitísquios.

GUIA DOS DINOSSAUROS

AVACERAPTOR

FICHA TÉCNICA
Nome: Avaceratops
Significado: "Réptil de Ava"
Onde foi encontrado: Estados Unidos (Montana)
Tamanho: 2,5 - 4 metros
Peso: 294 quilos
Estilo de vida: Herbívoro
Espécie: A. Iammersi
Classificação: Marginocephalia, Ceratopsia, Centrosaurinae

Ao contrário de outros ceratopsídeos que são, em sua maioria, animais grandes, o Avaceratops possuía proporções muito menores. Essas proporções são conhecidas graças aos restos fossilizados encontrados por Eddie Cole, em 1981.

O esqueleto encontrado está quase completo, salvo pela exceção de um osso do quadril, muitas partes da cauda e a parte de cima do crânio, incluindo os chifres. O espécime encontrado por Cole não era de um animal adulto.

O pequeno Avaceratops tinha um profundo focinho com uma mandíbula poderosa que alinhada com uma bateria de dentes com corte duplo, eram essenciais para a alimentação do pequeno dinossauro. Especialistas supõe que o Avaceratops possuísse um chifre maior no nariz, do que os chifres acima dos olhos.

Outra peculiaridade do Avaceratops é o significado de seu nome. Foi dado em 1986 por Peter Dodson, que além de fazer uma homenagem ao nome da família – acrescido na classificação da espécie –, ainda colocou o nome da esposa de Eddie, Ava Cole. Assim, tornou o animal "Réptil de Ava".

BACTROSAURUS

Ficha técnica

Nome: Bactrosaurus
Significado: "Lagarto Clava"
Onde foi encontrado: China e Mongólia
Tamanho: 6 metros
Peso: 1,5 toneladas
Estilo de vida: Herbívoro
Espécie: B. Johnsoni
Classificação: Ornithopoda, Hadrosauridae, Lambeosaurinae

O Bactrosaurus é conhecido como o mais velho integrante dos lambeosauríneos – dinossauros que possuem como característica física predominante uma protuberante crista em suas cabeças – apesar do próprio Bactrosaurus não possuir uma. Viveu há mais de 70 milhões de anos durante o tardio período Cretáceo e, como herbívoro, se alimentava de vegetações de pequeno e médio porte disponíveis pelas regiões que hoje competem à Mongólia e à China.

O Bactrosaurus se assemelha mais aos dinossauros iguanodontídeos que aos hadrossaurídeos. Era extremamente pesado, mas podia se movimentar tanto sob dois membros (bípede) quanto sob os quatro membros (quadrúpede). Outra característica peculiar eram seus dentes que possuíam um formato em fileiras distintos dos outros integrantes do grupo.

Os primeiros fósseis foram encontrados por uma expedição liderada pelo Museu de História Natural Americana para a Mongólia, em 1923. Contudo, sua aparência foi reconstruída com base nos restos de ao menos seis esqueletos, sendo alguns desses de espécimes mais jovens e outros de dinossauros mais desenvolvidos.

GUIA DOS DINOSSAUROS

BAGACERATOPS

Dinossauro: Pablo Silva/Cenário: Bernardo Furlanetto

FICHA TÉCNICA
Nome: Bagaceratops
Significado: "Pequeno Chifrudo"
Onde foi encontrado: Mongólia
Tamanho: 1 metro
Peso: 22 quilos
Estilo de vida: Herbívoro
Espécie: B. Rozhdestvenskyi
Classificação: Marginocephalia, Ceratopsia, Neoceratopsia

O Bagaceratops é uma espécie de ceratopsídeo que viveu há mais de 80 milhões de anos durante o tardio período Cretáceo e seu nome foi dado justamente pelas suas qualidades físicas.

Por pesar aproximadamente 22 quilos e ter apenas 1 metro de comprimento, é conhecido por ser um dos menores dinossauros da história. Encontrado na Mongólia, em 1970, o Bagaceratops foi um dos espécimes de maior ajuda para o entendimento da evolução dos integrantes dos ceratopsídeos. Seus fósseis foram encontrados em grande quantidade nos desertos mongóis – por volta de duas dúzias de crânios, cinco deles completos, e alguns esqueletos de dinossauros adultos e juvenis. Assim como o Protoceratops – um dos principais dinossauros encontrados também nos desertos da Mongólia durante a década de 1920 e que pertence ao mesmo grupo – o Bagaceratops habitava o deserto, o que auxiliou na preservação de seus restos.

CARACTERÍSTICAS

O Bagaceratops possuía um pequeno chifre na ponta de seu focinho enquanto um distinto folho triangular protegia seu pescoço como uma espécie de escudo.

A distinta ausência de dentes pontiagudos na parte frontal de sua mandíbula superior cria a possibilidade de esse espécime ter confiado mais na ponta de seu focinho, ou seja, seu bico, para reunir comida do que em seus dentes.

"Apesar dessas características, e do fato que elas vieram depois, o Bagaceratops é considerado um animal mais primitivo que o Protoceratops", conta o paleontólogo escocês Dougal Dixon, na obra "The World Encyclopedia of Dinosaurs & Prehistoric Creatures".

BAMBIRAPTOR

FICHA TÉCNICA
Nome: Bambiraptor
Significado: "Caçador Bebê"
Onde foi encontrado: EUA (Montana)
Tamanho: 1 metro
Peso: 5 quilos
Estilo de vida: Carnívoro
Espécie: B. feinbergorum
Classificação: Theropoda, Tetanurae, Deinonychosauria

O Bambiraptor é um dinossauro terópode – carnívoro e bípede – que habitou as terras que hoje pertencem aos Estados Unidos durante o tardio período Cretáceo. Com um tamanho que equivaleria ao de um ganso, comparando com criaturas modernas, o Bambiraptor foi descoberto ainda em 1994 por Wes Linster – que na época era apenas um menino de 14 anos.

Na ocasião, o esqueleto do Bambiraptor estava com cerca de 95% de todos os seus ossos e restos intactos – o que possibilitou o estudo de elementos extremamente delicados como as estruturas da garganta e os ossos da orelha. Seu nome, no entanto, engana. O Bambiraptor era um predador feroz e muito ágil, que possuía em seu segundo dedo uma garra que era mantida em posição vertical constante a fim de retalhar as presas.

Seus dentes serrilhados e aparentes em meio a sua profunda e estreita cabeça, somados a sua cauda endurecida e cheia de vértebras – além de seus braços semelhantes a asas com garras – o fizeram o mais próximo das aves que um dromeossaurídeo poderia ser.

Outro detalhe relevante com relação à descoberta foi o tamanho de seu cérebro. Nas devidas proporções, o Bambiraptor possuía o maior cérebro de todos os dinossauros, partindo da comparação entre cérebro e corpo.

BARAPASAURUS

FICHA TÉCNICA
Nome: Barapasaurus
Significado: "Réptil de grandes patas"
Onde foi encontrado: Índia
Tamanho: 18 metros
Peso: Desconhecido
Estilo de vida: Herbívoro
Espécie: B. tagorei
Classificação: Sauropomorpha, Sauropoda, Cetiosauridae

O Barapasaurus foi um dos dinossauros mais comuns a perambularem pelas terras que hoje correspondem ao território da Índia durante o início do período Jurássico. Quadrúpede e herbívoro, o Barapasaurus foi descrito pela enorme quantidade de ossos achados.

De fato, sabe-se que esse espécime foi um dos mais abundantes por conta dos mais de 300 restos fossilizados que já foram encontrados – e que juntos correspondem aos ossos e estruturas de cerca de seis indivíduos. "Contudo, como é comum para os saurópodes, nenhum crânio foi encontrado, e nem mesmo os ossos dos pés, o que colocou dificuldades adicionais para sua precisa classificação", aponta o paleontólogo escocês Dougal Dixon, em sua obra "The World Encyclopedia of Dinosaurs & Prehistoric Creatures".

CARACTERÍSTICAS

O Barapasaurus foi um dos primeiros saurópodes a ser considerado um gigante – enquanto outros saurópodes maiores não despontavam até o final do período Jurássico. As vértebras em suas costas possuíam uma fenda característica para os fluidos espinhais.

Essas fendas foram fundamentais para distingui-lo de outros saurópodes encontrados. O Barapasaurus possuía membros longos e finos, além de seus dentes em forma de colher que eram usados para raspar as folhas dos ramos.

GUIA DOS DINOSSAUROS

BARYONYX

FICHA TÉCNICA
Nome: Baryonyx
Significado: "Garras Pesadas"
Onde foi encontrado: Inglaterra
Tamanho: 10 metros
Peso: 1,5 – 2 toneladas
Estilo de vida: Piscívoro
Espécie: B. walkeri
Classificação: Theropoda, Tetanurae, Spinosauria

O Baryonyx walkeri foi nomeado assim graças ao explorador amador William Walker, que o descobriu em um conjunto de pedreiras ao sul da Inglaterra. O achado foi inesperado, uma vez que diversos paleontologistas profissionais já haviam escavado a região e coletado amostras do solo. Quando descoberto em meio aos sedimentos de rocha, um time formado pelo Museu de História Natural de Londres – e liderado por Angela Milner e Alan Charig – foi designado para escavar o esqueleto apropriadamente.

Na ocasião, o esqueleto encontrado estava com cerca de 70% de seus ossos intactos, incluindo o crânio – uma das estruturas mais frágeis em se tratando de restos fossilizados – que levou os especialistas a conseguirem informações valiosas sobre os hábitos do dinossauro.

De fato, o achado foi de extrema importância, não somente por se tratar de uma espécie desconhecida de dinossauros, mas também pelo mesmo possuir características corporais que o diferem em muitos aspectos de outros terópodes. Outros fragmentos de Baryonyx foram encontrados em outros países como Espanha, por exemplo. A Ilha de Wight, localizada na África Ocidental, contribuiu com outros fragmentos desse espécime descobertos em uma espécie de depósito de ossos.

CARACTERÍSTICAS

O Baryonyx foi uma espécie de dinossauro terópode – bípede e carnívoro – que habitou as terras que hoje correspondem à Inglaterra há cerca de 125 milhões de anos, no início do período Cretáceo.

Entre as principais características estão o crânio longo, baixo e estreito com narinas localizadas a cerca de 10 centímetros acima do focinho – algo até então incomum a qualquer terópode. Seus dentes possuíam serrilhas finas – assim como o de outros carnívoros – mas eram mais espaçadas que a dos outros dinossauros, fazendo delas ferramentas perfeitas para perfurar e não cortar a carne das presas.

Seus maxilares, aliados a esses dentes, se sobressaíam em uma disposição circular em forma de "roseta". Um exemplo moderno desse tipo de maxilar, bem como da adaptação craniana, é visto através de reptilianos como o crocodilo. O maxilar inferior possuía duas vezes mais dentes que o superior – o que permitiria ao Baryonyx pegar suas presas com firmeza – porém, devido ao formato estreito do crânio, o dinossauro não teria condições de atacar grandes animais terrestres.

ALIMENTAÇÃO

Por conta das evidências em relação a seu crânio, seu maxilar e suas garras, foi possível aos especialistas chegarem à conclusão que o

BAROSAURUS

Baryonyx tinha hábitos alimentares muito diferentes de outros terópodes. Isso porque sua principal fonte de alimento não eram outros dinossauros ou outros tipos de criaturas terrestres, mas sim peixes. Seus dentes o permitiam perfurar a macia carne dos peixes enquanto que a estrutura de sua mandíbula em roseta o permitia agarrar e prender os peixes mais escorregadios com facilidade.

Suas narinas elevadas nada mais eram que uma adaptação para que o dinossauro conseguisse manter seu focinho dentro d'água para se alimentar e ao mesmo tempo pudesse respirar. Seus braços também proporcionavam uma determinada vantagem na alimentação. Eram fortes e resistentes e suas extremidades possuíam grandes garras que podiam chegar a até 30 centímetros – outra ferramenta muito útil na captura de peixes.

Na época em que o Baryonyx viveu, o sul da Inglaterra desfrutava de um clima subtropical que era acompanhado de diversos tipos de ambientes alagadiços. Esses ambientes, como o delta dos rios ou as planícies litorâneas, eram locais perfeitos para que o dinossauro pudesse fazer suas refeições. Os mares e rios eram constantemente reabastecidos de peixes enormes, alguns com até 3 metros de comprimento.

Oportunista

Quando o primeiro esqueleto de um dinossauro Baryonyx foi encontrado na década de 1980, foram encontrados restos mortais de suas últimas refeições que, por sua vez, apresentavam escamas de peixes e outros ossos.

Além dos peixes também havia ossos e restos mortais de um Iguanodonte, provando que o Baryonyx se aproveitava de oportunidades para inferir carne de outras origens. Traços em suas mãos e em seu crânio indicam que o Baryonyx comia carniça, usando suas garras para dilacerar as carcaças já mortas e seu nariz elevado para respirar enquanto buscava a carne com seu focinho.

Ficha Técnica
Nome: Barosaurus
Significado: "Lagarto Pesado"
Onde foi encontrado: Estados Unidos (Dakota do Sul e Utah) e Tanzânia
Tamanho: 27 metros
Peso: 30 toneladas
Estilo de vida: Herbívoro
Espécie: B. lentus, B. africanus
Classificação: Sauropoda, Diplodocidae

O Barosaurus é uma espécie de saurópode que viveu há cerca de 150 milhões de anos – ainda durante o final do período Jurássico – nas terras que hoje competem aos Estados Unidos e à Tanzânia.

Assim como outros integrantes de sua classificação, o Barosaurus é um quadrúpede e se alimentava de plantas e copas de árvores. Contudo, uma peculiaridade dele é a forma como essa alimentação poderia acontecer.

A maioria dos saurópodes apenas esticava seus longos pescoços a fim de alcançar a cobertura das árvores e os ramos que ficavam em cima. Já o Barosaurus podia – pelo fato de também ser um diplodocídeo – se erguer com os músculos do quadril para ficar apenas em dois membros enquanto se alimentava.

Isso poderia fazer com que chegasse a alturas incríveis. Entre suas outras características, estão o fato de possuir os ossos da cauda mais curtos enquanto os ossos do pescoço eram um terço mais longos. Uma das teorias estipuladas pelos paleontologistas sugere que – pelos ossos do pescoço possuírem até 1 metro de distância – o Barosaurus poderia ter mais de um coração a fim de levar o sangue aos ossos e ao cérebro enquanto estivesse se alimentando nas gigantescas árvores.

Tudo que se sabe sobre esse espécime veio de cinco esqueletos parciais encontrados na Formação Morrison.

GUIA DOS DINOSSAUROS

BONITASAURA

Ficha técnica

Nome: Bonitasaura
Significado: "Lagarto de Bonita"
Onde foi encontrado: Argentina (Patagonia), Estados Unidos (Dakota do Sul e Utah) e Tanzânia (África Oriental)
Tamanho: 9 metros
Peso: Desconhecido
Estilo de vida: Herbívoro
Espécie: B. salgadoi
Classificação: Sauropoda, Macronaria, Titanosauria

Bonitasaura foi o nome dado a essa espécie de dinossauros pelo paleontologista argentino – e doutor em Ciências Naturais com Orientação a Paleontologia pela Universidade Nacional de La Plata – Sebastián Apesteguía, em 2004.

Na ocasião, foram descobertos os restos fossilizados da Bonitasaura na região de La Bonita, o que explica a referência. Assim, a Bonitasaura é um quadrúpede herbívoro que habitou a América do Sul há cerca de 70 milhões de anos, ainda durante o tardio período Cretáceo.

Entre os restos do dinossauro estavam uma mistura de ossos que perteceriam a titanosaurídeos e a diplodocídeos, o que indicaria uma rápida expansão evolucionária uma vez que os dois eram como espécies "primas". A Bonitasaura possuía a parte frontal de sua mandíbula estreita e quadrada, o que sugere que possuía uma mastigação adaptada para plantas que crescessem mais próximas ao solo.

Seus dentes da frente eram curtos e parecidos com canetas, enquanto que na parte de trás da mandíbula – próximo aos seus limites – estavam dentes semelhantes a lâminas que foram desenvolvidos justamente para cortar a vegetação. É possível comparar o resto das características da Bonitasaura a um de seus "parentes" de mesmo grupo, o Antarctosaurus.

BRACHYCERATOPS

Dinossauro: Pablo Silva/ Cenário: Bernardo Furlanetto

Ficha técnica
Nome: Brachyceratops
Significado: "Cabeça com Chifres Curtos"
Onde foi encontrado: EUA (Montana)
Tamanho: 1,8 – 4 metros
Peso: Desconhecido
Estilo de vida: Herbívoro
Espécie: B. montanaensis
Classificação: Marginocephalia, Ceratopsia, Centrosaurinae

O Brachyceratops é um dinossauro ceratopsídeo, quadrúpede e herbívoro, que habitou as terras que hoje pertencem ao Estado de Montana, nos Estados Unidos, durante o final do período Cretáceo.

Foi nomeado apenas em 1914 e é conhecido por apenas seis esqueletos que aparentam não ter atingido ainda a forma adulta – o que gera dúvidas até hoje aos paleontólogos com relação a seu comprimento e até mesmo a seu peso. Foi constatado que os esqueletos não eram de indivíduos adultos graças às informações recorrentes ao crescimento dos arranjos na cabeça de dinossauros centrosaurídeos. Os Brachyceratops tem um pequeno chifre localizado na ponta do focinho. Esses espécimes possuem por natureza um chifre pequeno, mas que não é totalmente ligado ao crânio, enquanto o escudo que protege o pescoço e o resto da cabeça é fino, porém largo.

Sua estrutura corporal é semelhante à dos outros ceratopsídeos, apesar de seus dentes serem curtos e todos os restos mortais deste dinossauro serem menores que o esperado.

GUIA DOS DINOSSAUROS

BRACHYLOPHOSAURUS

FICHA TÉCNICA
Nome: Brachylophosaurus
Significado: "Lagarto da Crista Curta"
Onde foi encontrado: Estados Unidos (Montana), Canadá (Alberta)
Tamanho: 7 metros
Peso: 7 toneladas
Estilo de vida: Herbívoro
Espécie: B. canadensis, B. goodwini
Classificação: Ornithopoda, Hadrosauridae, Hadrosaurinae

O Brachylophosaurus é uma espécie de dinossauro ornitópode, quadrúpede e herbívoro, que habitou as terras que hoje pertencem a América do Norte no final do período Cretáceo, há cerca de 70 milhões de anos. Considerado um dos mais raros hadrosaurídeos, o Brachylophosaurus é conhecido por uma série de restos fossilizados, apresentando características peculiares.

Apelidado de "Leonardo", o dinossauro encontrado preservava ainda vestígios de pele, dos músculos de seu pescoço e parte de seu trato gástrico com restos de sua última refeição. As sólidas condições de seu crânio sugerem que um de seus hábitos pode ter sido o de dar cabeçadas. Seu crânio também mostra evidências de seu focinho, que é descrito como sendo achatado de um lado para o outro e levemente caído para baixo.

As cristas, presentes até no nome do Brachylophosaurus, consistem em um conjunto de placas planas que parte do topo de sua cabeça e da parte traseira de seu crânio. Sua pele é composta por diversas escamas finas e seus membros anteriores são relativamente compridos.

Não se sabe se há diferenças entre os Brachylophosaurus fêmeas e machos, apesar de em uma das espécies – a B. goodwini – haver uma leve diferença em seu crânio que consiste em uma pequena depressão antes de sua crista. Contudo, cientistas ainda não possuem certeza das diferenças entre fêmeas e machos.

BRACHYTRACHELOPAN

FICHA TÉCNICA
Nome: Brachytrachelopan
Significado: "Pastor de Pescoço Curto"
Onde foi encontrado: Argentina
Tamanho: 10 metros
Peso: 5-10 toneladas
Estilo de vida: Herbívoro
Espécie: B. mesai
Classificação: Sauropoda, Dicraeosauridae

O Brachytrachelopan é um dos saurópodes que mais se adaptou ao clima e ao ambiente que regiam as terras que hoje competem à Argentina. Quadrúpede e herbívoro, o Brachytrachelopan viveu durante o final do período jurássico e foi nomeado apenas em 2005, quando foi descoberto por um fazendeiro da Patagônia que estava à procura de ovelhas perdidas.

Uma peculiaridade de sua qualidade como saurópode – grupo de dinossauros que possuía como uma das principais características o pescoço alongado e o tamanho avantajado – era o seu pescoço mais curto que o corpo. Seus semelhantes saurópodes por possuírem pescoços muito compridos não estavam prontos para colher a vegetação de pequeno e médio porte que crescia próxima ao chão.

Enquanto outros dinossauros passavam fome com a escassez de alimentos, o Brachytrachelopan transformou seu pescoço curto em uma vantagem ao poder comer a vegetação rasteira. Ele possuía uma longa coluna de espinhos em suas costas, semelhantes a uma vela. Eles eram necessários para suportar a enorme cauda do dinossauro e a estabilizar com seu curto pescoço e sua pequena cabeça.

BRACHIOSAURUS

Dinossauro: Pablo Silva / Cenário: Bernardo Furlanetto

Ficha técnica

Nome: Brachiosaurus
Significado: "Lagarto com Braços"
Onde foi encontrado: Estados Unidos (Colorado e Utah), Tanzânia, Portugal
Tamanho: 28 metros **Peso:** 50 toneladas
Estilo de vida: Herbívoro
Espécie: B. altithorax
Classificação: Sauropoda, Macronaria, Titanosauromorpha, Brachiosauridae

O Brachiosaurus, durante um determinado período de tempo na história, já chegou a ser considerado o maior de todos os dinossauros. Quadrúpede e herbívoro, o Brachiosaurus viveu há cerca de 156 milhões de anos durante o final do período Jurássico.

O primeiro fóssil desse espécime foi encontrado junto a um segundo espécime, pelo paleontólogo Elmer G. Riggs em 1900, na famosa Formação Morrison, localizada em Utah – Estados Unidos, e que hoje constitui em um dos mais eloquentes sítios paleontológicos do mundo.

Os achados arqueológicos e a presença desse animal nas terras que hoje competem aos Estados Unidos e à África – uma vez que vestígios também foram achados na Tanzânia – comprovam que existiu uma ligação terrestre entre essas duas regiões durante o período Jurássico. Seu nome foi colocado em referência a seus braços que eram extremamente longos – uma característica única desse saurópode, uma vez que seus membros dianteiros eram bem maiores que os traseiros.

Contudo, seus membros, por mais longos que fossem, eram finos na mesma proporção, o que indica uma aparente falta de força por parte do brachiosaurus. Isso significava que graças a seu enorme peso e sua falta de força, esse espécime era muito lento tanto em seus movimentos naturais quanto para correr ou andar.

"Os braços longos podem ter servido para ultrapassar grandes obstáculos, ou talvez fossem uma adaptação para buscar alimento em árvores altas", conta o especialista Paul Barrett, na obra "Dinossauros: Uma História Natural".

Alimentação

O Brachiosaurus era um animal grande, tão grande que podia necessitar de montantes absurdos de comida por dia. Estima-se que pelo seu peso (50 toneladas), o dinossauro necessitasse de pelo menos 180 quilos de alimento.

Pelo fato de ser um herbívoro, os rebanhos de Brachiosaurus podem ter sido responsáveis por dizimar áreas inteiras em apenas algumas refeições. Algo similar acontece nos dias de hoje com outros animais, como no caso dos elefantes africanos, por exemplo, que também necessitam de grandes quantidades de comida.

Contudo, apenas um Brachiosaurus adulto chegaria a pesar o equivalente a 20 elefantes adultos juntos. A estratégia para sustentar os hábitos alimentares era utilizar seu enorme pescoço a seu favor.

Constituído de 12 vértebras de 70 centímetros cada, o pescoço dos Brachiosaurus podia medir até 9 metros de comprimento e os fazer alcançar folhas a mais de 11 metros do solo, apenas apoiando em suas quatro patas. É possível afirmar ainda que – graças ao avantajado corpo do Brachiosaurus – era uma das poucas espécies de saurópodes que conseguia atingir picos tão altos para a alimentação.

Bombeamento sanguíneo

Um problema sério na anatomia dos Brachiosaurus foi observado pelos cientistas quando estudavam esses hábitos de alimentação. Foi constatado que quando o dinossauro deixava seu pescoço ereto, o mesmo deveria sofrer de dificuldades para que o sangue chegasse até o cérebro.

A menos que houvesse algum jeito de acelerar a circulação do sangue, seria extremamente difícil para o coração bombear o sangue a uma altura de quase 10 metros. Contudo, mesmo que o coração fosse capaz de manter o bombeamento, outro problema seria gerado, quando o dinossauro descesse a cabeça para beber água.

A pressão do sangue retornando seria tão alta que poderia romper suas artérias e também os frágeis vasos sanguíneos de seu cérebro. Cientistas acreditam, mesmo sem poder constatar precisamente, que os Brachiosaurus resolviam esse problema do mesmo modo que as girafas.

As girafas não possuem nenhum problema pelo seu longo pescoço,

GUIA DOS DINOSSAUROS

simplesmente por possuírem artérias musculares flexíveis que mantêm o sangue fluindo enquanto uma camada de vasos protetores, localizada atrás do cérebro, impede que a circulação do sangue cause danos à cabeça quando ela é abaixada.

AS VÉRTEBRAS

Uma das mais curiosas estruturas da composição do Brachiosaurus eram suas vértebras. Isso porque as vértebras de quase todos os dinossauros que pertencem à categoria dos saurópodes possuem pleuroceles – que são cavidades laterais.

Devido ao grande peso, as vértebras se tornavam amplas e chegavam a ter estruturas semelhantes às colmeias – cheias de travessas e barras. Através delas, corria a passagem de ar que tornava as vértebras mais leves, porém, resistentes. Tudo isso para sustentar o peso do animal que – assim como outros saurópodes – era um dos mais pesados dentro todos os dinossauros.

A VIRADA DO SÉCULO

Pelo fato de serem extremamente frágeis, os ossos do Brachiosaurus são mantidos em um ambiente controlado e não podem ser expostos ao público. Assim, um modelo em tamanho natural feito de fibra de vidro é exposto para os visitantes do Museu de História Natural de Chicago desde 1994.

Porém, em uma campanha publicitária feita em 1999, com o objetivo de incentivar as pessoas a visitarem mais os museus no século seguinte, a montagem do Brachiosaurus foi feita no terminal 1, da Ala B, da United Airlines – localizada dentro do Aeroporto Internacional de O'Hare, na cidade de Chicago, Illinois.

Na ocasião, foi exposta até mesmo uma réplica de um ovo de dinossauro – feita de papel machê – que foi esmagada, e de onde saíram diversos dinossauros que brilhavam no escuro e jatos de brinquedo da United Airlines.

BREVICERATOPS

Muito pouco se sabe até o presente momento sobre os Breviceratops, além de que foi um tipo de ceratopsídeo, quadrúpede e herbívoro, que habitou as terras que hoje correspondem à Mongólia durante o tardio período Cretáceo.

Alguns cientistas afirmam – pelo fato do Breviceratops ter habitado as mesmas terras e no mesmo período de outros dinossauros semelhantes a ele, como o Protoceratops – que o Breviceratops seria na verdade o mesmo que o Bagaceratops. Contudo, apesar de ambos os dinossauros possuírem algumas semelhanças, há diferenças. O Breviceratops não possui um único chifre sequer, nem mesmo na ponta de seu focinho. Possui dois dentes frontais e uma mandíbula inferior muito mais reta do que a mandíbula curvada de um Protoceratops, além de não possuir as proteções ósseas que formam o folho em torno do pescoço.

"No tamanho, o Breviceratops era um intermediário entre o Bagaceratops e o Protoceratops. [...] Apesar de essas diferenças serem notáveis, ainda existe a possibilidade que o Breviceratops possa ser um Protoceratops jovem, e que as diferenças apenas representem os diferentes estágios do crescimento", explica Dougal Dixon, na obra "The World Encyclopedia of Dinosaurs & Prehistoric Creatures".

Outro fator de extremo viés para a classificação do Breviceratops foi pelo fato de o mais importante espécime ter sido roubado, ainda no ano de 1996, do Instituto Paleontológico da Academia de Ciências da Rússia, em Moscow.

FICHA TÉCNICA

NOME: BREVICERATOPS
SIGNIFICADO: "FACE COM CHIFRES CURTOS"
ONDE FOI ENCONTRADO: MONGÓLIA
TAMANHO: 2 METROS
PESO: DESCONHECIDO
ESTILO DE VIDA: HERBÍVORO
ESPÉCIE: B. KOZLOWSKII
CLASSIFICAÇÃO: MARGINOCEPHALIA, CERATOPSIA, NEOCERATOPSIA

BRUHATHKAYOSSAURO

Ficha Técnica
Nome: Bruhathkayosaurus
Significado: "Lagarto com Corpo Grande"
Onde foi encontrado: Índia
Tamanho: 40 metros
Peso: 180 toneladas
Estilo de vida: Herbívoro
Espécie: B. matleyi
Classificação: Sauropoda, Macronaria, Titanosauria

O Bruhathkayosaurus é um dinossauro saurópode, quadrúpede e herbívoro, que habitou as terras que hoje competem à região de Tamil Nadu, na Índia, ainda durante o final do período Cretáceo.

Quando descoberto ainda na década de 1980, foi pensado que os restos fossilizados pertenciam a algum tipo de terópode monstruoso. Contudo, o esqueleto foi reclassificado em 1995 como pertencente à família dos titanosauridae.

Assim, apesar de ainda permanecer em um estado de "Nomen Dubium" – característica na qual os fósseis que não conseguem ser identificados com precisão permanecem – os restos do Bruhathkayosaurus é o maior animal já achado na Índia durante toda a história.

Características

Apesar das dificuldades em identificar esse espécime, é sabido que sua tíbia é 25% maior que a do Argentinosaurus – atualmente descrito como o maior dinossauro do mundo. Se o resto do corpo do Bruhathkayosaurus seguir a mesma proporção de seu osso da tíbia, isso o colocaria acima do Argentinosaurus em tamanho e comprimento, e o tornaria o novo dono do recorde de maior dinossauro.

Contudo, sabe-se tão pouco deste dinossauro que não é possível sequer constatar isso. Sua classificação como um saurópode é baseada no simples fato de possuir um corpo gigantesco.

GUIA DOS DINOSSAUROS

BUITERAPTOR

Dinossauro: Pablo Silva/ Cenário: Bernardo Furlanetto

Ficha técnica
Nome: Buitreraptor
Significado: "Caçador de Buitrera"
Onde foi encontrado: Argentina
Tamanho: 1,5 metros
Peso: Desconhecido
Estilo de vida: Carnívoro
Espécie: B. gonzalezorum
Classificação: Theropoda, Tetanurae, Deinonuchosauria

O Buitreraptor é um dinossauro terópode, bípede e carnívoro, que habitou as terras da região de Buitrera, Argentina, no final do período do Cretáceo, há 94 milhões de anos. Esse espécime é o único dromaeosaurídeo conhecido dos continentes ao sul, e sua chegada à América do Sul veio ainda durante o período Cretáceo, com a separação do supercontinente Pangea.

A porção que se localizou ao sul, nomeada como Gondwana, ainda era uma massa de terra extremamente larga, mas já estava separada da porção norte dos continentes que abrigavam outras espécies de dromaeosaurídeos.

O Buitreraptor é um dos mais recentes dinossauros descobertos, em 2005. Se assumia que não havia dinossauros dessa família em Gondwana. Entre as características do Buitreraptor, estão suas pernas e braços compridos e sua aparência de dromaeosaurídeo, com um corpo pequeno e seus braços cheios de penas. Sua cabeça possuía um longo bico semelhante ao de uma cegonha e sua aparência se assemelha ao do passado Rahonavis, que habita algumas zonas de Madagascar.

CAMARASAURUS

FICHA TÉCNICA
Nome: Camarasaurus
Significado: "Lagarto Compartimentado"
Onde foi encontrado: Estados Unidos (Novo México e Montana)
Tamanho: 20 metros **Peso:** 20 toneladas
Estilo de vida: Herbívoro
Espécie: C. Supremus, C.Grandis, C. Lentus, C. Iewisi
Classificação: Sauropoda, Macronaria, Titanosauromorpha, Camarasauridae

O Camarasaurus é um dinossauro saurópode – quadrúpede e herbívoro – que habitou as terras que hoje correspondem aos Estados Unidos há cerca de 156 milhões de anos, o que o coloca no final do período Jurássico.

Ao contrário da maioria dos saurópodes, que foram constituídos de apenas um ou dois esqueletos parciais encontrados, o Camarasaurus foi descoberto em meio a Formação Morrison e lá havia diversos exemplares de restos fossilizados.

Graças à abundância de fósseis – compostos de esqueletos de espécimes adultos e ainda jovens com seus crânios em boas condições – foi possível estabelecer quais eram seus hábitos e seu modo de vida.

"Bandos desses animais vagavam pelas florestas abertas de coníferas que cobriam o oeste dos Estados Unidos na época. Embora chegasse ao comprimento de 20 metros, o Camarasaurus era um dos menores dinossauros saurópodes", explica Paul Barrett, na obra "Dinossauros: Uma História Natural".

Graças a sua abundância e seus hábitos de andar em bando, tinham maiores chances de sobrevivência. Contudo, por serem um dos menores saurópodes, podem ter sido alvo constante de predadores velozes como o Allosaurus. Outra característica era sua constituição corporal robusta e forte. Seus pés, por exemplo, tinham uma grande garra que servia para desenterrar raízes e também para cavar ninhos.

Mastigação

Seus dentes, largos e fortes, eram usados não somente para mastigar o alimento, mas para perfurar a vegetação de tal forma que os ramos e galhos eram levados juntos à boca do animal.

Nos espécimes descobertos é possível visualizar um desgaste profundo nos dentes por conta do excesso de mastigação e do atrito. Estudos mostram que o Camarasaurus conseguia encaixar seus fortes dentes quando seus maxilares estavam fechados. "Isso permitia ao Camarasaurus mastigar até as plantas mais duras", explica Paul Barrett na obra "Dinossauros: Uma História Natural" sobre a mastigação do dinossauro.

Pescoço

O pescoço do Camarasaurus, partindo de uma comparação com outros saurópodes, era relativamente curto sendo constituído de apenas 12 vértebras ligadas por articulações em formato circular que se interligavam por outras menores que encaixavam na parte de baixo das vértebras.

Essas articulações o permitiam movimentar seu pescoço livremente, contanto que fossem movimentos feitos de cima para baixo ou de baixo para cima. Os movimentos feitos para outras direções, como direita ou esquerda, eram impedidos por costelas longas e sobrepostas localizadas nas laterais do pescoço.

GUIA DOS DINOSSAUROS

CAMPTOSAURUS

FICHA TÉCNICA
Nome: Camptosaurus
Significado: "Lagarto Curvado"
Onde foi encontrado: Inglaterra e EUA (Colorado, Oklahoma, Utah e Wyoming)
Tamanho: 6 metros **Peso:** 4 toneladas
Estilo de vida: Herbívoro
Espécie: C. dispar, C. leedsi, C. depressus, C. prestwichii
Classificação: Ornithopoda, Iguanodontidae

O Camptosaurus é um tipo de ornitópode herbívoro que habitou as terras que hoje constituem a Inglaterra e os Estados Unidos há cerca de 156 milhões de anos atrás, no final do período Jurássico e no início do Cretáceo.

Bem dotado, seus dentes tinham muitas pontas agudas que conseguiam perfurar até as mais duras das folhas que cresciam nas florestas do final do período Jurássico. De tão afiados, também podiam facilmente perfurar caules.

Contudo, pelo fato de as plantas naquele período terem uma composição muito mais resistente e serem muito duras, as extremidades dos dentes podiam desgastar-se, até ficarem quase planas.

Os primeiros achados desse espécime foram feitos ainda no século XIX por Fred Brown e William H. Reed em Wyoming, EUA. Contudo, seus estudos foram todos baseados em esqueletos parciais de algo entre um animal adulto e outro mais juvenil. Mesmo em exposição no Instituto Smithsonian em Washington D.C., a espécie permanece com a colocação de um "Nomen Dubium".

LAGARTO CURVADO

Por ser um animal que necessitava de uma quantidade enorme de folhas, brotos e ramos, o Camptosaurus era uma criatura muito volumosa por precisar de um estômago na mesma proporção para digerir suas refeições.

Para sustentá-lo, precisava de um conjunto de pernas traseiras poderosas e longas. Elas o auxiliavam a permanecer estabilizado e a andar em duas patas – apesar de evidências comprovarem que mesmo não possuindo força nos braços, alguns ossos do pulso tinham a função de ajudar na sustentação de seu peso caso precisasse.

Graças a esse apoio extra proporcionado pelos braços, mesmo que por um período curto de tempo, o Camptosaurus era capaz de se alimentar também das vegetações rasteiras que cresciam no chão.

Também, podia usar sua cauda como uma terceira perna para que se sustentasse e conseguisse alcançar o topo das árvores nas quais os brotos tenros cresciam em maior abundância.

OS TENDÕES

Os apoios dorsais são outra característica marcante da espécie que possuía uma série de grandes tendões – que por sua vez são estruturas duras parecidas com cordões que ligam os músculos aos ossos – ao longo desse dorso para sustentá-lo.

Os tendões de um Camptosaurus jovem eram constituídos basicamente de fibras de colágeno – uma substância mole que permite a criação de uma determinada resistência a essas estruturas – que eram gradativamente sendo transformadas em ossos à medida que o dinossauro crescia. Quando adulto, e plenamente desenvolvido, o dinossauro possuía não mais os tendões, mas sim uma estrutura óssea que deveria aparentar uma extensa rede de finas e longas hastes.

"Essas hastes ósseas não só enrijeciam a coluna vertebral, mas contribuíam para o equilíbrio do Camptosaurus ao andar nas patas traseiras, mantendo o dorso ereto e nivelado", explica o especialista Paul Barrett, na obra "Dinossauros: Uma História Natural".

CARCHARODONTOSAURUS

Ficha técnica

Nome: Carcharodontosaurus
Significado: "Lagarto com dentes de tubarão"
Onde foi encontrado: Norte da África (Marrocos, Tunísia, Argélia, Líbia, Níger)
Tamanho: 14 metros **Peso:** 7-8 toneladas
Estilo de vida: Carnívoro
Espécie: C. saharicus
Classificação: Theropoda, Tetanurae, Carnosauria

O Carcharodontosaurus foi um terópode – bípede e carnívoro – e um dos maiores predadores terrestres de todos os tempos. Habitava a região que hoje é o norte da África há cerca de 113 milhões de anos atrás, ainda durante o período Cretáceo.

A única parte que era considerada pequena no Carcharodontosaurus era o seu cérebro – em proporção a seu corpo. Contudo, seu tamanho era vantagem suficiente para dominar qualquer tipo de presa que lhe fosse apetitosa.

"[...] a corpulência evoluiu separadamente no Tyrannosaurus, de parentesco mais distante. Todos esses animais eram os principais predadores de seus meios ambientes, capazes de pegar as maiores presas e se banquetear das matanças dos outros", explica o especialista Paul Barrett, na obra "Dinossauros: Uma História Natural". Assim, o Carcharodontosaurus perambulava pelas terras que hoje são o Saara – mas que no período Cretáceo possuía paisagens verdejantes – as margens de rios largos à procura de sua próxima refeição.

Características

Sua cabeça longa e estreita o permitia uma amplitude maior quando fosse cravar os dentes em suas presas. Seu focinho comprido podia adentrar profundamente na carcaça de suas vítimas, a fim de alcançar até mesmo os órgãos mais distantes.

Seus antebraços eram curtos e suas mãos pequenas que – com suas garras afiadas – eram perfeitas para dissecar suas presas. O Carcharodontosaurus corria de forma ereta, utilizando sua cauda como uma espécie de contrapeso para balancear sua enorme massa corporal.

Suas patas traseiras eram longas e musculosas, a fim de sustentar as oito toneladas de um Carcharodontosaurus adulto. Apesar de seu grande peso, era um dos mais rápidos e grandes carnívoros. Seu crânio podia medir até 1,75 metros de comprimento.

Uma das marcas registradas do Carcharodontosaurus eram seus dentes. Detentores de um formato único, os dentes tinham pequenos sulcos que partiam de serrilhas que permitiam que o Carcharodontosaurus segurasse suas presas pela carne com uma firmeza que não as permitissem qualquer tentativa de fuga.

Duas extinções

Os primeiros achados desse espécime foram em 1927, nas terras que hoje são o Egito, pelo paleontologista alemão Ernst Stromer Von Reinchenbach e trazidos até o Museu do Estado da Baváría – em Munique, na Alemanha, onde estudos mais detalhados puderam ser feitos.

Porém, com a chegada da Segunda Guerra Mundial o Carcharodontosaurus mais uma vez encarou a extinção. Seus restos fossilizados foram bombardeados por uma esquadra britânica no ano de 1944. Ainda no ano de 1995, outra ossada desse dinossauro, ainda mais completa, foi descoberta no Marrocos pelo paleontologista norte-americano Paul Sereno, o que permitiu chegar aos avançados estudos sobre a massa encefálica e os hábitos desse espécime.

GUIA DOS DINOSSAUROS

CARNOTAURUS

FICHA TÉCNICA

Nome: Carnotaurus
Significado: "Touro Carnívoro"
Onde foi encontrado: Argentina
Tamanho: 7,5 metros   **Peso:** 1 tonelada
Estilo de vida: Carnívoro
Espécie: C. sastrei
Classificação: Theropoda, Neoceratosauria, Abelisauria

O Carnotaurus é um terópode, bípede e carnívoro, que habitou as terras que hoje pertencem à Argentina há 113 milhões de anos, durante o meio do período Cretáceo. Na época em que foi descoberto pelo paleontologista argentino José Fernando Bonaparte – ainda na década de 1980 – um esqueleto quase completo foi extraído com certa dificuldade de um nódulo mineral, que muito duro, o preservou.

Contudo, é preciso entender o cenário desenvolvido pela separação continental a fim de compreender o Carnotaurus. Ainda no período Jurássico, há cerca de 144 milhões de anos, um vasto oceano separava os continentes terrestres.

Em ambas as partes os dinossauros evoluíram de formas diferentes e quando a região que corresponde hoje à América do Sul se separou das diversas outras regiões, isso acarretou em uma evolução diferenciada das espécies, incluindo o Carnotaurus. Com isso, possuía dentes estreitos e recurvados, característica semelhante a diversos outros terópodes carnívoros.

Características

O Carnotaurus possuía características que se assemelhavam com as classificações em que estava enquadrado, enquanto outras podiam fugir em muito dessas identificações. Seus olhos eram voltados para frente, assim como outros terópodes, o que permitia uma ótima visão quando de tratava de caçar presas velozes, contudo, pelo fato dessa visão ser binocular, era limitada em outros aspectos.

Seu maxilar era estreito e possuía um contraste evidente com seu crânio volumoso e flexível. Sua pele possuía características contrárias às dos terópodes celurossaurianos; ao invés de penas, sua pele era toda encouraçada.

Suas pernas possuíam grande força e mobilidade, de modo que eram essenciais a esse dinossauro para a impulsão na captura de suas presas.

Seus braços eram minúsculos, semelhantes aos do Tyranosaurus, e embora fosse extraordinariamente forte, seu comprimento fazia deles e das garras estruturas inúteis.

O Carnotaurus também possuía quatro dedos. Mesmo todos eles não possuindo uma função de ataque, defesa ou sustentação corporal, seu quarto dedo era particularmente pequeno.

Seu pescoço era mais longo que os de outros terópodes e alguns calombos se formavam em sua pele quanto mais próximos estivessem da coluna vertebral. De fato, outros tipos de projeções saídas da coluna vertebral do Carnotaurus causam estranhamento a paleontologistas até hoje, pela falta de propósito nas mesmas.

Os Chifres

Os chifres do Carnotaurus são uma característica à parte dentro do enorme montante de peculiaridades que esse dinossauro possuía. O nome "Touro Carnívoro" foi dado justamente pelas protuberâncias ósseas que possuía em sua cabeça.

Esses ossos se projetavam das extremidades do crânio e apontam para cima e para os lados, de tal forma que o nome ficou conveniente. Outras espécies de terópodes, como o Allosaurus, possuía as mesmas protuberâncias, mas não tão longas.

Graças à pouca quantidade de esqueletos de Carnotaurus, não se sabe se apenas os machos possuíam os chifres ou se essa era uma característica presente em todos os indivíduos, incluindo as fêmeas. Uma possibilidade é que os chifres fossem usados para exibição, apesar disso abrir a possibilidade da conquista de fêmeas através de um combate com cabeçadas.

Caçador Nato

O focinho do Carnotaurus é estreito e curto, enquanto seu crânio é bastante alargado. Sua mandíbula é muito rasa e possuí uma articulação bem no meio, fazendo com que a parte da frente se abra mais que a de trás.

Contudo, o que fazia a diferença para a caça do Carnotaurus era sua visão. O animal tinha um grande senso de percepção uma vez que sua visão binocular permitia que os campos de visão do olho esquerdo e do olho direito se sobrepusessem. Ao mesmo tempo em que possuía uma visão binocular capaz de auxiliá-lo com uma precisão muito maior na caça, sua percepção de profundidade pode ter sido limitada na mesma proporção.

Devido à posição dos olhos, sua visão era perfeita bem acima da cabeça e para os lados, mas abaixo de sua cabeça, e bem em frente, havia um ponto cego, agravado pelo focinho. É possível que o Carnotaurus, tivesse visto presas a longas distâncias, mas tivesse perdido alguma que estivesse bem próxima e na sua frente.

As Presas

O Carnotaurus é um dinossauro carnívoro e, de forma geral, tinha o hábito de caçar suas presas em alta velocidade. Contudo, sua estrutura corporal indica que não possuía as habilidades para caçar dinossauros maiores ou mais fortes que ele.

Isso porque, assim como a maioria dos dinossauros com braços curtos, o Carnotaurus tinha uma cabeça muito volumosa e robusta, que de certa forma funcionava – aliada à sua mandíbula – como sua arma principal. Porém, da mesma forma que sua cabeça era sua arma principal, também era sua fraqueza. Graças a sua flexibilidade e sua forma, seu crânio era muito frágil, o que tornava um risco torcê-lo ou impactá-lo em um combate direto com criaturas mais poderosas que ele.

Assim, o Carnotaurus se limitava a velozes arrancadas nas quais conseguia apanhar suas presas que, geralmente, se reduziam a animais menores que ele.

GUIA DOS DINOSSAUROS

CAUDIPTERYX

Ficha técnica
Nome: Caudipterix
Significado: "Cauda Alada"
Onde foi encontrado: China
Tamanho: 70 – 90 centímetros
Peso: 2,5 quilos
Estilo de vida: Herbívoro
Espécie: C. zoui, C. Dongi
Classificação: Theropoda, Tetanurae, Coelurosauria

O Caudipteryx é um terópode bípede e herbívoro que habitou as terras que hoje correspondem a província de Liaoning a Nordeste da China há cerca de 125 milhões de anos, durante o início do período Cretáceo.

Quando descobertos na década de 1990, os paleontólogos ficaram extremamente empolgados em ter dois exemplares com suas ossadas completas para serem estudados daquela nova espécie.

Porém, o que mais empolgou os especialistas foi o fato de que mesmo sendo um terópode, estudos minuciosos revelaram que o Caudipteryx teria uma vasta penugem. Essas penas foram decisivas, uma vez que até esse dinossauro era pensado que apenas as aves possuíam penas.

As penas

O Caudipteryx possuía uma característica muito peculiar: suas penas. Cada uma delas possuía vexilos – estruturas constituídas de diversos filamentos – constituindo penas muito mais complexas que as penugens de outros dinossauros.

Essas penas tinham a função de manter o Caudipteryx aquecido – como uma espécie de isolante térmico e proteção contra o frio – bem como para a exibição também, como para atrair companheiros ou para alertá-los sobre inimigos.

Seu corpo todo possuía penas. Seu rabo possuía um leque amplo de penas longas, enquanto que o restante do corpo era coberto de penas mais curtas – com exceção dos braços que tinham poucas penas longas. Seu rabo funcionava como um estabilizador para quando precisasse alcançar grandes velocidades – o que era possível graças a seu tamanho e peso, bem como seu esqueleto ser leve. Apesar de possuir penas, esse dinossauro não tem qualquer parentesco com as aves.

A DIETA E OS GASTRÓLITOS

Nos exemplares fossilizados de Caudipteryx encontrados na China, foram analisadas estruturas pequenas – semelhantes a pedrinhas – localizadas onde deveria ser o estômago do animal.

Essas pedras são chamadas de gastrólitos – que são ingeridas pelos herbívoros e que se fixam no estômago de modo a se atritarem e, com os movimentos dos músculos estomacais, moerem os alimentos em pedaços menores para a digestão.

"Sabe-se que alguns herbívoros existentes engolem pedras, que ficam presas no estômago. [...]Essas pedras são chamadas gastrólitos, que significa 'pedras estomacais'. [...] Os gastrólitos dos dinossauros hervíboros provavelmente agiam da mesma maneira", explica o especialista Paul Barrett, na obra "Dinossauros: Uma História Natural", em comparação entre os herbívoros modernos e os dinossauros. Ainda sim, a maioria dos animais terrestres, que possuem gastrólitos, são herbívoros, o que acarreta – por dedução – que a dieta do Caudipteryx fosse feita de folhas, frutos e sementes. Contudo, terópodes herbívoros são muito raros.

É possível também que essa estrutura de pequenas pedrinhas fizesse toda a trituração dos alimentos, uma vez que o Caudipteryx possuía dentes fracos e muito pequenos para auxiliar nesse processo.

CENTROSAURUS

FICHA TÉCNICA
NOME: CENTROSAURUS
SIGNIFICADO: "LAGARTO PONTUDO"
ONDE FOI ENCONTRADO: CANADÁ (ALBERTA)
TAMANHO: 6 METROS
PESO: 4 TONELADAS
ESTILO DE VIDA: HERBÍVORO
ESPÉCIE: C. CUTLERI, C. APERTUS
CLASSIFICAÇÃO: MARGINOCEPHALIA, CERATOPSIA, CENTROSAURINAE

O Centrosaurus é um dinossauro quadrúpede e herbívoro, que habitou as terras que hoje são a região de Alberta no Canadá – lar de um dos mais proeminentes sítios arqueológicos e de grandes descobertas – ainda durante o final do período Cretáceo.

O animal foi classificado com base em partes de algumas ossadas que representavam Centrosaurus em todos os estágios de crescimento, bem como baseado em 15 crânios encontrados na ocasião.

O nome do animal – Lagarto Pontudo – se deu não graças ao pontudo e largo chifre que possuía na ponta de seu focinho, mas sim graças aos diversos chifres pontiagudos que saíam de seu escudo. O osso do pescoço que ligava a esse escudo foi o primeiro a ser encontrado, ainda no início do século XX.

Os chifres, aliás, são a mais marcante característica desse dinossauro, que os possui saltando de várias partes de seu rosto, como a região acima dos olhos, do seu escudo – protetor de pescoços – bem como da região em volta dele.

"O grande chifre curvado para frente em alguns indivíduos, inclina-se para trás em outros, uma variação que paleontologistas não parecem pensar ser significante", explica o paleontólogo escocês Dougal Dixon, na obra "The World Encyclopedia of Dinosaurs & Prehistoric Creatures".

GUIA DOS DINOSSAUROS

CETIOSAURUS

Dinossauro: Fabio Silva/Cenário: Bernardo Furlanetto

Ficha técnica

Nome: Cetiosaurus
Significado: "Lagarto Baleia"
Onde foi encontrado: Inglaterra e Portugal
Tamanho: 14 metros
Peso: 10 – 25 toneladas
Estilo de vida: Herbívoro
Espécie: C. mogrebiensis, C. medius, C. conybearei, C. oxoniensis
Classificação: Sauropoda, Cetiosauridae

O Cetiosaurus é um dinossauro saurópode, quadrúpede e herbívoro, que habitou as terras que hoje pertencem à Inglaterra e a Portugal, ainda por volta da metade do período Jurássico. Esse período compete às idades Bajociana e Bathoniana, que coloca o Cetiosaurus por volta de 170 a 166 milhões de anos.

O Cetiosaurus tem um lugar privilegiado na história por ter sido o primeiro saurópode já descoberto no mundo – no ano de 1825. Com isso, acabou por ter todo e qualquer resto fossilizado de saurópode atribuído a ele, assim com fizeram com o terópode também descoberto no século XIX, o Megalosaurus. O próprio Sir Richard Owen – ainda em 1842, que coincide em ser o mesmo ano no qual inventou a palavra "Dinossauro" – nomeou o Cetiosaurus, embora não o reconhecesse como um dos grupos de animais.

Ironicamente, foi o médico e colecionador Gideon Mantell que reconheceu que se tratava de ossos de dinossauro, apenas em 1854. O melhor esqueleto de Cetiosaurus, contudo, foi encontrado por um trabalhador que cavava um poço no barro na Inglaterra, em 1968. Esse mesmo esqueleto está no Museu e Galeria de Arte de Leicester.

Características

Entre as características do Cetiosaurus, estão as mais típicas a um saurópode. Uma cabeça pequena que se erguia a vários metros para pegar as melhores folhas nas copas das árvores, sustentada por um longo pescoço e uma longa cauda, que agia como um contrapeso ao enorme corpo do saurópode.

Seus ossos possuem características diferenciadas de outros saurópodes como, por exemplo, os ossos ocos que serviam como uma medida de segurança contra o enorme peso do dinossauro, não existiam. Ao invés disso, o Cetiosaurus possuía ossos mais esponjosos, como os de uma baleia.

Evidências apontam que essa espécie também vivia próxima ao oceano e, assim, seus restos mortais podem ter sidos levados pelas águas dos mares.

CHARONOSAURUS

Ficha técnica

Nome: Charonosaurus
Significado: "Lagarto de Caronte"
Onde foi encontrado: China
Tamanho: 13 metros
Peso: Desconhecido
Estilo de vida: Herbívoro
Espécie: T. jiayinensis
Classificação: Ornithopoda, Hadrosauridae, Lambeosaurinae

O Charonosaurus foi um dinossauro ornitópode, quadrúpede e herbívoro, que habitou as terras que hoje pertencem a China, por volta do final do período Cretáceo, há cerca de 72 milhões de anos.

Seus restos fossilizados foram encontrados em depósitos de sedimentos datados da última época do período Cretáceo, equivalentes à idade Maastrichtiana – que compete aos anos de 72 milhões aos 66 milhões de anos – na Formação Yuliangze, na província de Jiayin.

Os melhores restos fossilizados já encontrados do Charonosaurus são apenas um crânio parcial e muitas outras partes de ossos, que pelo modo como foram achadas, é possível que o dinossauro vivesse constantemente perto de rios e que esses alagavam com frequência.

Os restos cranianos não são precisos o suficiente para indicarem como era a crista que o dinossauro possuía em sua cabeça, contudo, o resto do crânio sugere que ele possuía uma crista longa e oca.

Os seus longos membros anteriores sugerem que o Charonosaurus era, na maioria do tempo, um quadrúpede, embora pudesse se mover apenas em suas patas traseiras de tempos em tempos.

Seu nome – Lagarto de Caronte – foi dado em homenagem ao barqueiro de Hades (Deus do Submundo) da mitologia grega que transportava a alma dos mortos através do rio Estige, que por sua vez dividia as margens entre o mundo dos vivos e dos mortos.

GUIA DOS DINOSSAUROS

CHASMOSAURUS

Dinossauro Leandro Salsa Cenário Bernardo Furlanetto

Ficha técnica
Nome: Chasmosaurus
Significado: "Lagarto com Buraco"
Onde foi encontrado: Estados Unidos (Texas) e Canadá
Tamanho: 8 metros   **Peso:** 2 toneladas
Estilo de vida: Herbívoro
Espécie: C. Belli, C. Russelli
Classificação: Marginocephalia, Ceratopsia, Chasmossaurini

O Chasmosaurus é um dinossauro ceratopsídeo, quadrúpede e herbívoro que habitou as terras que hoje competem à América do Norte há cerca de 76 milhões de anos, durante o final do período Cretáceo. Seu nome – Lagarto com Buraco – foi dado por conta de seu crânio. Atingindo mais de 2 metros de comprimento seu crânio possuía a típica proteção óssea que servia como uma espécie de escudo.

Nela, existiam dois buracos que partiam da ponta do escudo até a curvatura no início do pescoço. No caso, o Chasmosaurus possui diversos tipos de espécies com diferentes características.

Todos os Chasmosaurus tinham dois chifres na testa e um pequeno chifre localizado no focinho. Porém, alguns Chasmosaurus possuíam chifres menores na testa enquanto outros tinham chifres muito mais longos no mesmo lugar.

Grupo norte-americano

Ao longo da história só são conhecidos os restos mortais de espécies de ceratópsios na América do Norte e na Ásia, o que levou os especialistas a pensarem na hipótese de uma migração em massa e de um possível desenvolvimento.

Isso porque ceratópsios mais primitivos como o Psittacosaurus, por exemplo, viveram na Ásia – mais especificamente na China e na Mongólia – ainda durante o início do período Cretáceo.

Nessa época, um braço de terra como se fosse um estreito se formou entre o leste da Ásia e da América do norte alguns milhares de anos depois. Já no final do período Cretáceo, é sabido que animais mais evoluídos como os ceratopsídeos Chasmosaurus e o Triceratops habitavam – até então exclusivamente – a América do Norte. "Até hoje não foram descobertos ceratopsídeos na Ásia, o que faz crer que esse grupo específico de ceratópsios se restringia à América do Norte", completa Paul Barrett, na obra "Dinossauros: Uma História Natural".

Hábitos modernos

Quando os restos de Chasmosaurus foram encontrados em Alberta, no Canadá, eles estavam em uma área não muito extensa, mas sim acumulados em um determinado estrato de ossos.

Esses estratos, por sua vez, podem conter centenas de ossos de indivíduos de uma determinada espécie o que leva os especialistas a crer que o Chasmosaurus teria os mesmos hábitos de algumas criaturas modernas. É comum as manadas de gnus atravessarem rios largos em busca de novos alimentos. Essa migração acontece independentemente da condição do rio, contudo, se o rio estiver na época de enchente, suas correntes podem ser fortes demais para esses gnus que se afogam.

Uma vez pegos, os gnus terminam por falecer e se depositarem onde esse rio os levar, criando assim pilhas com diversos indivíduos que, por sua vez, se assemelham as pilhas de ossos de Chasmosaurus, levando a crer que os ceratopsídeos possuíam esse mesmo hábito.

CHIROSTENOTES

Ficha técnica
Nome: Chirostenotes
Significado: "Mãos finas"
Onde foi encontrado: Canadá (Alberta)
Tamanho: 2,9 metros
Peso: Desconhecido
Estilo de vida: Variado
Espécie: C. sternbergi, C. pergracilis
Classificação: Theropoda, Tetanurae, Orviraptorosauria, Caenignathidae

O Chirostenotes foi um dinossauro terópode e bípede que viveu nas terras que hoje pertencem à região de Alberta, no Canadá, por volta do tardio período Cretáceo, há cerca de 83 milhões de anos.

Esse tempo é correspondente a idade Campaniana do período Cretáceo Superior. A mão do Chirostenotes foi encontrada ainda em 1924 – ano da nomeação do dinossauro – enquanto seu pé foi encontrado apenas em 1932 e suas mandíbulas apenas em 1936.

Não foi possível perceber que todas essas partes se tratavam do mesmo animal até 1988, quando um esqueleto ainda sem preparo foi encontrado na coleção de um museu, e havia permanecido se estudos por mais de 60 anos.

Cada mão desse espécime possui três dedos com garras, nos quais o dedo do meio é ligeiramente maior que os outros e suas mandíbulas sem dentes - graças a evidências encontradas em outros dinossauros do mesmo grupo, o dos oviraptoridae – sugerem que esse dinossauro era tanto ovíparo quanto herbívoro.

GUIA DOS DINOSSAUROS

COELOPHYSIS

FICHA TÉCNICA
Nome: Coelophysis
Significado: "Forma Oca"
Onde foi encontrado: Estados Unidos (Novo México, Arizona e Utah)
Tamanho: 3 metros
Peso: 15 – 30 quilos
Estilo de vida: Carnívoro
Espécie: C. baurii
Classificação: Theropoda, Ceratosauria, Coelophysidae

O Coelophysis é um terópode – bípede e carnívoro – que habitou as terras que hoje são os Estados Unidos há 227 milhões de anos, durante o período Triássico. No final desse período a América do Norte era um local quente e seco, mas que sustentava a vida de diferentes espécies que se mesclavam em um habitat que ainda observava o início do desenvolvimento dos dinossauros.

Entre as coníferas gigantes e as imensas samambaias que compunham as florestas do final do período do Triássico, o Coelophysis despontava como um dos predadores mais versáteis. Sua incrível velocidade – que o fazia tão perigoso quanto os principais predadores da época, os grandes répteis e primos distantes dos dinossauros pertencentes aos fitossáurios e os rauissuquídeos – lhe garantiam alimentos variados como peixes e insetos.

CARACTERÍSTICAS

Sua longa cauda agia como um contrapeso para que seu corpo pudesse se mover à velocidade necessária para sua caça. Seu corpo podia se mover praticamente em um paralelo horizontal ao chão. Suas mãos possuíam traços de uma evolução "incompleta" uma vez que dos cinco dedos apenas três eram utilizáveis com suas afiadas garras para cavar as presas para fora de suas tocas no chão ou para agarrar pequenos mamíferos terrestres.

Mandíbulas enormes permitiam que o dinossauro Coelophysis movesse sua boca para frente e para trás, de tal forma que partia os corpos de suas presas com um movimento brutal. Isso só era possível graças a um sistema complexo de "dobradiças" duplas que auxiliavam essa movimentação mandibular. Um traço comum entre os dinossauros predadores era a visão binocular, que no caso do Coelophysis, era adquirida através de seus olhos parcialmente voltados para frente. Essa visão o ajudava na captura de suas presas e principalmente na avaliação da distância entre eles.

CANIBAL

Uma peculiaridade sobre o Coelophysis – estudado por meio de centenas de restos fossilizados e ossadas descobertas nos Estados Unidos e que remetem a espécimes de todas as idades e etapas da vida – é o consumo da carne de semelhantes.

É possível que o Coelophysis cometesse atos canibais, uma vez que dentro de espécimes adultos havia a ossada de espécimes jovens. Uma hipótese, já descartada, era que fossem filhotes dentro da mãe. Contudo, os especialistas concluíram que se tratava de puro canibalismo.

DINOSSAURO ASTRONAUTA

Você sabia que o Coelophysis foi o primeiro dinossauro a conhecer e frequentar o espaço? Com em uma reviravolta histórica, em 1998, um crânio de Coelophysis foi embarcado na lançadeira Endeavor em uma missão espacial para a estação Mir. O dinossauro voltou intacto.

COMPSOGNATHUS

FICHA TÉCNICA
Nome: Compsognathus
Significado: "Mandíbula Elegante"
Onde foi encontrado: Alemanha (Baviera) e França
Tamanho: 1 metro
Peso: 2,5 quilos
Estilo de vida: Carnívoro
Espécie: C. Longipes
Classificação: Theropoda, Coelurosauria, Compsognathidae

O Compsognathus foi um dinossauro terópode – bípede e carnívoro – que habitou as terras que hoje fazem parte da Alemanha e da França durante o final do período Jurássico há cerca de 150 milhões de anos.

Descoberto na Alemanha na década de 1850, o Compsognathus foi um dos mais perfeitos e bem preservados esqueletos já encontrados na história, e ainda assim, um dos menores exemplares de dinossauros que já existiu.

Seu esqueleto conseguiu chegar intacto graças às condições climáticas e ambientais, nas quais foi preservado. Por habitar as margens tranquilas de um lago, quando faleceu, o dinossauro afundou para o leito do lago, que manteve seus ossos intactos até que a fossilização começasse. Sua aparência é muito similar à do Archaeopteryx – considerado o primeiro pássaro da história – além de ser encontrado em um local próximo. Isso apenas reforça as teorias de que os pássaros e os dinossauros estejam ligados.

CARACTERÍSTICAS

Com um dos corpos menores e frágeis de toda a história, o Compsognathus pesava pouco mais de dois quilos e media apenas 1 metro de comprimento. Contudo, o que tinha de pequeno compensava em velocidade e ferocidade.

Seu corpo era compacto e seu pescoço longo e flexível, o que permitia a ele caçar de forma precisa e despercebida. Finas penas aveludadas envolviam seu corpo e funcionavam como uma espécie de isolante. Suas pernas traseiras eram fortes e poderosas, apesar de muito finas e longas. Os restos fossilizados dos compsognathus, encontrados na Alemanha, indicam que o dinossauro teria uma camada fina que envolvia seus membros traseiros. Essa camada poderia ser composta tanto de penas quanto de escamas.

Seus olhos eram maiores do que a largura de seu crânio o que pode sugerir que esse espécime tivesse a habilidade de caçar suas presas à noite também. O interior de sua pequena mandíbula possuía diversas fileiras de pequenos dentes afiados, ideais para mastigar suas presas.

DIETA

Características peculiares em seu crânio dão indícios de sua dieta. As primeiras opções para seu cardápio seriam a de pequenos vertebrados como lagartos ou de mamíferos e insetos.

É provável que sua dieta tenha sido variada e cheia de pequeninas criaturas, não apenas pelo seu comprimento de apenas 1 metro o impossibilitar de caçar outros dinossauros, como também pelo seu maxilar inferior e seu crânio serem muito delgados e frágeis.

"O esqueleto de um lagartinho ficou preservado dentro da cavidade do corpo de um espécime alemão do Compsognathus. Sua presença sugere que o Compsognathus era um predador ágil e rápido, capaz de localizar e liquidar até presas pequenas e velocíssimas como lagartos", comenta Paul Barrett, na obra "Dinossauros: Uma História Natural".

GUIA DOS DINOSSAUROS

CORYTHOSAURUS

Ficha técnica
Nome: Corythosaurus
Significado: "Lagarto de Elmo Coríntio"
Onde foi encontrado: América do Norte (Estados Unidos e Canadá)
Tamanho: 10 metros **Peso:** 3 toneladas
Estilo de vida: Herbívoro
Espécie: C. casuarius
Classificação: Ornithopoda, Euornithopoda, Iguanodontia, Hadrossauridae

O Corythosaurus é um ornitópode herbívoro que habitava as terras que hoje são a América do Norte há cerca de 80 milhões de anos, ainda durante o final do período Cretáceo. Sues restos fossilizados foram achados em terras áridas de Alberta, no Canadá, e em Montana, nos Estados Unidos (EUA). Na ocasião, foram encontrados os restos de cerca de 20 indivíduos dessa espécie, a maioria deles com seus esqueletos completos.

Isso evidencia que o Corythosaurus era um dinossauro que viajava em bandos. Outras evidências em seus restos mortais apontam que esse dinossauro podia caminhar em duas patas, apesar de na maioria do tempo ser um quadrúpede.

O Corythosaurus também possuía tendões que – partindo de sua coluna vertebral – se transformavam em hastes ósseas que fortaleciam sua espinha, mas que também o impediam de se curvar.

Herbívoro, se alimentava de folhas de árvores semelhantes aos pinheiros e aos abetos que duras, eram arrancadas pelas fileiras de dentes ásperos que o dinossauro possuía em sua mandíbula de bico de pato. Seu focinho se assemelhava muito ao de uma tartaruga, e era usado para cortar e retalhar esse tipo de vegetação.

Pele preservada
Dos mais de 20 esqueletos encontrados na América do Norte, alguns deles possuíam um grau de preservação extremamente raro para qualquer tipo de dinossauro. Eles apresentavam vestígios de pele.

"É um acontecimento raro, pois a pele geralmente apodrece antes que o corpo do animal se fossilize", explica o especialista Paul Barrett, na obra "Dinossauros: Uma História Natural".

No caso, a pele apresentava boa preservação e continha até mesmo plaquetas ósseas que apresentavam tamanhos e formatos diferenciados – ora eram ovais, ora circulares. Possuíam cerca de cinco centímetros de comprimento por dois a três centímetros de largura, o que prova que não eram muito eficientes para proteção.

Contudo, essa proteção poderia vir a ser útil no caso de predadores menores como os bandos de Dromaeosaurus que caçavam pela região.

Identidade
Uma das características físicas mais útil à espécie Corythosaurus era a sua crista. As diferenças entre o formato e o tamanho das cristas de outros dinossauros devem ter permitido ao Corythosaurus reconhecer a uma boa distância seus semelhantes.

Agindo como uma espécie de marca registrada, ou de identidade, a crista também servia para a comunicação. Tubos ocos – ligados diretamente ao focinho do animal – estendiam-se por dentro da crista, de tal forma, que quando o ar passava por esses tubos era emitido um som.

Esse som, por sua vez, era usado para atrair os companheiros de bando ou mesmo para se comunicar com os filhotes, caso se perdessem do bando ou de suas mães. Em situações de emergência, o som poderia ter servido como um alarme para aproximação de predadores.

DEINONYCHUS

Ficha técnica

Nome: Deinonychus
Significado: "Garras Terríveis"
Onde foi encontrado: Estados Unidos (Montana, Oklahoma, Wyoming, Utah e Maryland)
Tamanho: 4 metros
Peso: 73 – 100 quilos
Estilo de vida: Carnívoro
Espécie: D. antirrhopus
Classificação: Theropoda, Tetanurae, Deinonychosauria

O Deinonychus é um dinossauro terópode, carnívoro e bípede, que habitava as terras que hoje pertencem aos Estados Unidos da América, há cerca de 113 milhões de anos, ainda no início do período Cretáceo. Seus estudos foram baseados em nove esqueletos encontrados no ano de 1931 – contudo, o dinossauro só foi nomeado e descrito em 1969 pelo paleontólogo norte-americano John Ostrom.

Sua descrição, ainda na década de 1960, gerou uma verdadeira revolução no pensamento sobre os dinossauros. Até aquele período, os especialistas pensavam que os dinossauros eram seres gigantes, lentos e pesados.

Contudo, a descrição de Ostrom sobre as garras do Deinonychus, afirmavam que ele teria sido ágil, veloz e muito ativo, o que levantou hipóteses e outras linhas de pesquisa sobre os hábitos dos dinossauros.

Novas pesquisas

Entre as novas pesquisas e hipóteses levantadas por especialistas inspirados pelas descobertas e descrições de Ostrom, estão a do paleontólogo norte-americano Robert Bakker, de que os dinossauros na verdade eram de sangue quente.

Outra teoria, também originada por Bakker, era de que os dinossauros viviam em rebanhos estruturados – fato defendido graças as evidências de pegadas conjuntas encontradas, de algumas espécies.

De fato, os pensamentos de Ostrom e, consequentemente, os de Bakker reafirmaram o modo como os dinossauros eram vistos e possibilitou um maior entendimento sobre quais eram seus hábitos e como se comportavam.

Características

Além de caçarem em bandos, os Deinonychus tinham outras características que o marcavam como um exímio predador. Seu crânio era bastante leve e os buracos nele indicam que o dinossauro possuía uma visão excelente.

Suas mandíbulas continham uma poderosa fileira de dentes em formato de adaga que, curvado para trás, permitia que segurasse sua presa com firmeza e apreciasse de sua carne. Seus pés possuem uma qualidade especial. Grandes como os de todo Dromeossaurídeo, os pés do Deinonychus possuíam garras em forma de foice – que devido à extrema rapidez do dinossauro – eram mortais. Graças a ela o dinossauro se chama "garras terríveis".

É possível que o Deinonychus usasse suas garras em forma de foice – que podiam chegar a até 12 centímetros, mas o tamanho varia entre os fósseis – como arma principal, vindo com suas patas traseiras a derrubar suas presas no chão enquanto essas garras cortavam e arrancavam a carne do oponente.

Seu corpo, por sua vez, mostra vestígios nos restos fossilizados de penas em partes, como os braços, por exemplo. Contudo, isso ainda não é certo entre os paleontólogos.

GUIA DOS DINOSSAUROS

DIPLODOCUS

FICHA TÉCNICA
NOME: Diplodocus
SIGNIFICADO: "Alavanca Dupla"
ONDE FOI ENCONTRADO: Estados Unidos (Colorado, Wyoming, Utah)
TAMANHO: 27 metros
PESO: 20 toneladas
ESTILO DE VIDA: Herbívoro
ESPÉCIE: D. longus, D. carnegiei, D. hayi
CLASSIFICAÇÃO: Sauropoda, Diplodocidae

O Diplodocus foi um saurópode, quadrúpede e herbívoro, que habitou as terras que hoje pertencem aos Estados Unidos da América, há cerca de 156 milhões de anos, durante o final do período Jurássico.

Descoberto ainda durante o século XIX por Othniel Marsh, o saurópode – graças a suas características comuns com outros membros dessa classificação – é um dos dinossauros mais lembrados da história. Entre suas principais características estão seus dentes que possuíam um formato semelhante ao de um lápis, e que adquiriram essa forma graças ao desgaste sofrido por bater em galhos e caules enquanto o dinossauro se alimentava.

Esses dentes eram dispostos em forma de pente bem na parte da frente da boca, o que fazia com que seus maxilares fossem restritos, bem como sua mastigação. Suas narinas também eram diferenciadas de outros dinossauros. Elas se situavam entre os olhos, e se uniam em uma só abertura.

PESCOÇO VERSÁTIL

Apesar de possuir características comuns a qualquer saurópode, como o gigantesco corpo, o pescoço alongado e sua cabeça em menor proporção, ainda sim tinha um aspecto muito raro.

Seu pescoço se diferenciava dos demais por possuir articulações especiais que o permitiam mover o pescoço tanto para os lados quanto para cima ou para baixo – diferente dos outros saurópodes que só podiam movê-lo em um eixo vertical.

Assim, por meio de modelagens computadorizadas, foi possível descobrir que o pescoço flexível, e diferenciado, do Diplodocus o possibilitava se alimentar tanto da vegetação que existia no topo das árvores quanto da vegetação rasteira.

Suas pernas dianteiras possuíam uma extensão incomum, que fazia com que seus membros da frente fossem mais curtos e consequentemente fazia com que essa parte, bem como sua cabeça, permanecesse no chão. Essa posição fazia também com que o pescoço do Diplodocus, tanto quando estava andando ou descansando, permanecesse em um eixo horizontal, paralelo ao chão.

DEFESA PODEROSA

Sua cauda fazia dele um animal perigoso. Talvez o Diplodocus a tenha usado como uma poderosa defesa contra os vários predadores que enxergavam nele uma luxuosa presa a ser devorada por dias.

Os diversos Allosaurus que existiam naquele período teriam um grande trabalho se o mirassem como alvo. A extremidade de sua cauda era muito fina e permitia que o dinossauro a balançasse com grande velocidade. Graças à versatilidade de seus músculos, ele também podia mirar muito bem com ela e fazer com que fosse de um lado a outro com rapidez, o que a tornava um verdadeiro chicote natural.

O Diplodocus possuía um robusto e volumoso quadril, que dava ancoragem para que ele pudesse movimentar a parte traseira de seu corpo com mais liberdade, além de ter maior suporte na hora de sua alimentação.

EDMONTOSAURUS

FICHA TÉCNICA
Nome: Edmontosaurus
Significado: "Lagarto de Edmonton"
Onde foi encontrado: Estados Unidos e Canadá
Tamanho: 13 metros
Peso: 4 toneladas
Estilo de vida: Herbívoro
Espécie: E. annectens, E. regalis, E. saskatchewanensis
Classificação: Ornithopoda, Hadrosauridae, Hadrosaurinae

O Edmontosaurus foi um dinossauro ornitópode e herbívoro, que habitou as terras que hoje pertencem aos Estados de Wyoming e Alasca nos Estados Unidos da América, bem como em Alberta no Canadá, há cerca de 72 milhões de anos, no final do Período Cretáceo. Esse dinossauro foi um dos mais abundantes comedores de folhas do final do período Cretáceo e foi descoberto e nomeado por volta do início do século XX, época em que foram encontrados diversos esqueletos do mesmo. Esses diversos esqueletos indicam alguns acontecimentos de quando os dinossauros ainda estavam vivos. Em um dos crânios, pode ser observada uma marca de dente de um terópode, o que sugere que o aquele Edmontosaurus tenha sido atacado no pescoço.

De todo modo, os esqueletos mostram também que o Edmontosaurus era um hadrosaurídeo – dinossauros que tem como característica comum o bico de pato – bem como uma cauda que além de ser pesada, o ajudava a se equilibrar quando andasse com duas pernas, apesar de seus dedos das mãos sugerirem que podia andar também em quatro patas. Seu pescoço flexível foi um diferencial na hora de se alimentar das vegetações rasteiras que cresciam ao longo de seu caminho.

EORAPTOR

FICHA TÉCNICA
Nome: Eoraptor
Significado: "Ladrão da Aurora"
Onde foi encontrado: Argentina(Baviera) e França
Tamanho: 1 metro
Peso: 10 quilos
Estilo de vida: Carnívoro
Espécie: E. lunensis
Classificação: Theropoda, Saurischia

O Eoraptor é um dinossauro terópode, bípede e carnívoro, que habitou as terras que hoje pertencem ao noroeste da Argentina, há cerca de 231 milhões de anos, o que os coloca no final do período Triássico, o primeiro da Era dos Dinossauros.

Foi encontrado somente no ano de 1993 por uma equipe de paleontólo-

GUIA DOS DINOSSAUROS

gos norte-americanos e argentinos liderados por Paul Sereno, a quem foi reservada a honra de nomear o espécime. O único esqueleto de que se tem notícias foi descoberto no Vale da Lua, um dos maiores sítios arqueológicos do mundo, localizado a noroeste da Argentina, e que é recoberto por sedimentos arenosos. O esqueleto possui apenas o osso da cauda faltando, o que deu uma dimensão muito maior para que os paleontólogos pudessem estudá-lo.

ANCESTRAL

O Eoraptor habitava os densos lamaçais e os afloramentos de arenito que perpetravam as terras do período Triássico. Foi nessas terras que os primeiros dinossauros surgiram e apesar de não ser o primeiro dinossauro, com certeza foi um dinossauro muito primitivo.

Cientistas ainda não possuem certeza se o Eoraptor foi um dinossauro muito primitivo ou um parente bem próximo dos dinossauros, contudo, seus restos fossilizados foram fundamentais para entender a evolução dos "lagartos terríveis". Entre seus traços, é possível caracterizá-lo com algumas qualidades dos dinossauros, como seus tornozelos, pernas traseiras e até mesmo seu quadril. É possível dizer que por meio dessas qualidades os dinossauros puderam ficar em pé.

Contudo, outras estruturas corporais como seu crânio, seus pulsos, suas mãos e sua pélvis, não eram pertencentes a nenhum outro tipo de classe ou gênero de dinossauro, o que causa dúvidas nos especialistas até hoje.

CLASSIFICAÇÃO

Alguns traços presentes em seu corpo possuíam estruturas semelhantes à de alguns dinossauros e outros traços eram isentos de ligação com algum gênero ou divisão dos dinossauros. Contudo, o Eoraptor podia possuir em algumas partes do corpo características de diversas classes de dinossauros. Um exemplo disso é o seu maxilar que possuía dentes levemente curvados e serrilhados – excelentes para estraçalhar as presas e a ponto de prender fortemente, como outros terópodes – e também possuía dentes em formato de folha – uma característica comumente vista na maioria dos prossaurópodes.

Suas mãos eram alongadas e com garras fortes o bastante – bem como curvadas – a ponto de agarrar e raspar as presas, o que consiste em um atributo dos terópodes. A falta de articulação em seu maxilar inferior o coloca também como terópode.

Assim, especialistas não conseguem definir com precisão qual a classificação do Eoraptor, apesar de ser considerado para todos os efeitos um terópode.

EPIDENDROSAURUS

FICHA TÉCNICA
NOME: EPIDENDROSAURUS
SIGNIFICADO: "LAGARTO DAS ÁRVORES"
ONDE FOI ENCONTRADO: CHINA
TAMANHO: 15 CENTÍMETROS
PESO: DESCONHECIDO
ESTILO DE VIDA: INSETÍVORO
ESPÉCIE: E. NINGCHENGENSIS
CLASSIFICAÇÃO: THEROPODA, TETANURAE, COELUROSAURIA

O Epidendrosaurus foi um dos menores dinossauros existentes e habitou as terras que hoje pertencem à província de Nei Mongol, na China, há cerca de 160 milhões de anos, ainda durante o final do período Jurássico. Foi descoberto apenas em 2002 e é conhecido apenas por um único esqueleto de um espécime ainda jovem que foi achado nos sedimentos de rocha de um lago, juntamente com os ossos de alguns anfíbios. Seu nome, "Lagarto das Árvores", foi dado em referência a seu hábito de viver em árvores – uma vez que era um dinossauro muito pequeno e precisava se proteger dos predadores, e evidências em seus longos braços com seus três dedos curvados apontam para essa conclusão.

Subia em árvores para escapar de ter que se lançar em lutas com criaturas de maior porte que o seu por comida. Seu principal alimento eram os insetos que permaneciam nas árvores.

"Seus longos terceiros dedos são semelhantes aos dos modernos lêmures Aie-Aie de Madagascar e foi provavelmente usado do mesmo modo – para puxar insetos para fora dos buracos nos troncos das árvores. Isso pode ter sido muito próximo da transição entre dinossauros e aves", explica o paleontólogo escocês Dougal Dixon, na obra "The World Encyclopedia of Dinosaurs & Prehistoric Creatures".

GIGANOTOSAURUS

FICHA TÉCNICA
NOME: GIGANOTOSAURUS
SIGNIFICADO: "LAGARTO GIGANTE DO SUL"
ONDE FOI ENCONTRADO: ARGENTINA
TAMANHO: 12,5 METROS
PESO: 8 TONELADAS
ESTILO DE VIDA: CARNÍVORO
ESPÉCIE: G. CAROLINII
CLASSIFICAÇÃO: CARCHARODONTOSAURIDAE

O Giganotosaurus foi um dinossauro carnívoro e terópode que habitou a região hoje conhecida como Patagônia (Argentina) durante o período Cretáceo médio, entre 112 e 90 milhões de anos atrás. Seus ossos foram descobertos em 1995 pelo caçador de fósseis amador Rubén D. Carolini. Cerca de 70% do esqueleto do dinossauro foi encontrado no local, o suficiente para reconstruí-lo e classificá-lo com precisão. O crânio do Giganotosaurus tem cerca de 1,52 metros, com dentes de 21 centímetros de comprimento, serrilhados e em formato de lâmina; feitos para à caça de uma presa viva, que, ao tentar escapar, ficaria ainda mais encurralada na boca do dinossauro. Com uma mordida tão poderosa, há uma especulação de que o Giganotosaurus fosse capaz de caçar até mesmo o gigante Argentinosaurus. Segundo Rodolfo Coria, paleontólogo do Museu Carmen Funes, na Argentina, o Giganotosaurus tem uma grande semelhança com o Tyrannosaurus, porém foi verificado que o fêmur do gigante carnívoro tem cerca de 1,43 metro de comprimento, 5 centímetros mais longo do que o maior Tyrannosaurus conhecido; seus ossos também são consideravelmente mais grossos, o que leva à conclusão de que o Giganotosaurus era mais pesado, com uma estimativa de 8 toneladas. Apesar das semelhanças, o Giganotosaurus viveu cerca de 70 milhões de anos antes do Tyrannosaurus, sendo o maior e mais antigo carnívoro conhecido.

HYPACROSAURUS

FICHA TÉCNICA
NOME: HYPACROSAURUS
SIGNIFICADO: "LAGARTO DE CRISTA BAIXA"
ONDE FOI ENCONTRADO: ESTADOS UNIDOS E CANADÁ
TAMANHO: 9 METROS **PESO:** 4 TONELADAS
ESTILO DE VIDA: HERBÍVORO
ESPÉCIE: H. STEBINGERI, H. ALTISPINUS
CLASSIFICAÇÃO: ORNITHOPODA, HADROSAURIDAE, LAMBEOSAURINAE

O Hypacrosaurus foi um dinossauro ornitópode, quadrúpede e herbívoro, que habitou as terras que hoje correspondem à região de Montana, nos Estados Unidos, bem como em Alberta, no Canadá, há cerca de 72 milhões de anos, ainda durante o período Cretáceo.

Os primeiros fósseis de Hypacrosaurus foram descobertos ainda no ano de 1910, pelo então chefe da equipe de pesquisa de campo e caça de fósseis do Museu de História Natural Americana, Barnum Brown, que nomeou a criatura apenas em 1913.

Descobertas subsequentes, no decorrer do século XX, que incluíam Hypacrosaurus em quase todos os estágios de desenvolvimento, e até mesmo ovos, possibilitaram aos especialistas a reconstrução do ambiente e dos hábitos familiares desse dinossauro.

CARACTERÍSTICAS

O Hypacrosaurus foi o mais primitivo lambeosauríneo que se têm notícias, e entre os traços mais marcantes deste dinossauro estão os espinhos que corriam desde a sua cauda até sua espinha dorsal.

Esses espinhos eram utilizados estritamente para exibição e não proporcionavam grandes proteções contra o ataque de predadores. Contudo, eles também podem ter servido como apoio para o enorme quadril do Hypacrosaurus que – assim como nos camelos modernos – funcionava como uma espécie de depósito de alimentos para as estações mais secas e sem comida.

GUIA DOS DINOSSAUROS

IGUANODON

Dinossauro Leandro Sales/ Centavro Bernardo Furlanetto

FICHA TÉCNICA
Nome: Iguanodon
Significado: "Dente de Iguana"
Onde foi encontrado: Europa (Inglaterra, Bélgica, Alemanha e Espanha), Estados Unidos e Mongólia
Tamanho: 6 - 10 metros
Peso: 4 - 5 toneladas
Estilo de vida: Herbívoro
Espécie: I. bernissartensis, I. anglicus, I. atherfieldensis, I. dawsoni, I. fittoni, I. hoggi, I. lakotaensis, I. ottingeri
Classificação: Ornithopoda, Euornithopoda, Iguanodontia, Iguanodontidae

O Iguanodon é um dinossauro herbívoro que viveu nas terras que hoje competem a diversos países da Europa Ocidental, bem como nos Estados Unidos e na Mongólia, há cerca de 140 milhões de anos, ainda no início do período Cretáceo.

Foi um dos primeiros dinossauros encontrados em toda a história, ainda na década de 1820, e a descoberta de mais de 24 esqueletos quase completos foi essencial para o entendimento dos dinossauros, bem como para a classificação e descrição dos mesmos. Na época, o Iguanodon foi reconstruído como um animal grande e desajeitado. Contudo, com a descoberta de novos espécimes, foi observado que ele era mais leve do que se pensava.

BÍPEDE OU QUADRÚPEDE

Mesmo descoberto ainda em 1820, levou certo tempo para que os cientistas chegassem a uma conclusão sobre seu modo de andar. Primeiramente se pensou que o Iguanodon andava sobre duas patas, traseiras, e que sua cauda funcionava como um suporte.

A imagem de um Iguanodon bípede e com sua cauda sendo apoiada como em um tripé – o que o deixava muito parecido com um Canguru moderno – prevaleceu por boa parte do século XX. Somente em 1980 foi notado que para o Iguanodon permanecer ereto daquela forma, sua cauda deveria ter metade do tamanho que realmente tinha. Assim, após novos estudos serem realizados, chegou-se a consideração que o Iguanodon poderia ser tanto quadrúpede, quanto bípede.

Isso porque a coluna vertebral do dinossauro se mantinha mais na posição horizontal, e era sustentada assim pela cauda reta que atuava como contrapeso para o corpo. Com isso, o Iguanodon poderia alternar seu andar quando quisesse.

A estrutura de suas mãos era firme o bastante para sustentar o peso do Iguanodon, o que possibilitaria o caminhar como um quadrúpede. Mas, se o dinossauro decidisse andar somente nas patas traseiras, estaria igualmente confortável.

BOA MASTIGAÇÃO

O Iguanodon possuía como traços característicos um bico ósseo e largo que servia para arrancar as folhas e galhos das árvores para que fossem cortadas e trituradas pela fileira de dentes planos que o dinossauro possuía.

Seus dentes foram, aliás, a característica que deu o nome a ele – uma vez que seus dentes da frente possuíam muita semelhança com os dentes de uma iguana, um herbívoro moderno.

Seus maxilares, quando fechados, auxiliavam na mastigação através de articulações que os ligavam aos ossos do crânio e que permitiam ao dinossauro deslizar o maxilar superior para os lados.

Isso permitia ao Iguanodon triturar muito melhor e por mais tempo os alimentos. Também, deve ter possuído uma bochecha larga que prendia os alimentos na boca do dinossauro a fim de empurrá-los de volta aos dentes para que fossem triturados ao extremo.

KENTROSAURUS

FICHA TÉCNICA
Nome: Kentrosaurus
Significado: "Lagarto de Espigas"
Onde foi encontrado: Tanzânia
Tamanho: 2,5 - 5 metros
Peso: 450 quilos
Estilo de vida: Herbívoro
Espécie: K. aethiopicus, K. longispinus
Classificação: Thyreophora, Stegosauria, Stegosauridae

O Kentrosaurus é um dinossauro cheio de espigões em suas costas e famoso por ser um primo de menor porte do grande Stegosaurus. Quadrúpede e herbívoro, ele viveu nas terras que hoje competem à Tanzânia, país no leste da África, ainda no final do período Jurássico, há cerca de 156 milhões de anos.

Foi escavado ainda no começo do século XX, por volta de 1909 a 1912, por um grupo de paleontologistas alemães. Centenas de ossos foram encontrados e, posteriormente, contabilizados como pertencentes a 70 indivíduos. "Dois esqueletos montados foram preparados para o Museu Humboldt em Berlim, Alemanha, mas um deles foi destruído por bombardeios durante a Segunda Guerra Mundial", conta Dougal Dixon, na obra "The World Encyclopedia of Dinosaurs & Prehistoric Creatures".

CORPO VOLUMOSO

O Kentrosaurus possuía como defesa natural uma série de longos espigões que partiam de seu dorso se estendendo até o final de sua cauda, o que deve ter intimidado os predadores à espreita. Placas ósseas na nuca tinham a mesma função que a do Stegosaurus – a de controlar a temperatura corporal.

Apesar de ter seus espigões como forma de defesa – e possivelmente sua cauda como arma, quando a balançava ferozmente contra os terópodes – seu pescoço, sua barriga e suas pernas permaneciam desprotegidas, o que não impediria um dinossauro veloz de ser bem sucedido em um ataque. O Kentrosaurus possuía um estômago enorme para poder digerir uma dieta composta de vegetações secas e duras.

GUIA DOS DINOSSAUROS

LAMBEOSAURUS

FICHA TÉCNICA
Nome: Lambeosaurus
Significado: "Lagarto de Lambe"
Onde foi encontrado: Estados Unidos (Montana e Novo México) e Canadá (Alberta)
Tamanho: 9 – 15 metros
Peso: 23 toneladas
Estilo de vida: Herbívoro
Espécie: L. lambei, L. laticaudus, L. magnicristatus
Classificação: Ornithopoda, Hadrosauridae, Lambeosaurinae

O Lambeosaurus – dinossauro que dá título a todo um grupo de outros dinossauros – foi um ornitópode, quadrúpede (e/ou bípede) e herbívoro que habitou as terras que hoje pertencem aos países da América do Norte ainda durante o final do período Cretáceo, há cerca de 83 milhões de anos.

Mesmo descoberto em 1889, o Lambeosaurus só foi analisado e reconhecido como um gênero distinto apenas em 1923. Graças a grande extensão do território que ocupava durante o final do período Cretáceo, mais de 20 fósseis puderam ser achados. Suas pernas eram robustas e é provável que tenha se apoiado nas quatro patas quando se inclinava ao chão para se alimentar. Em situações perigosas, é viável que o Lambeosaurus tenha se apoiado apenas em duas pernas, a fim de fugir do perigo com maior rapidez e eficiência.

Sua dentição indica que quando seus dentes estavam desgastados, outros tomavam seu lugar. Esse processo é comum aos répteis e é chamado de polifiodontia.

A parte mais intrigante, contudo, é sua crista. Em formato de machado, alguns especialistas afirmam que ela teria servido para aumentar o volume do guinchar do animal. Outros afirmam que essa crista em formato diferenciado teria servido para reconhecimento, para rituais de acasalamento e até mesmo para indicar o sexo do dinossauro.

LEPTOCERATOPS

FICHA TÉCNICA
Nome: Leptoceratops
Significado: "Chifrudo Esguio"
Onde foi encontrado: Estados Unidos (Wyoming) e Canadá (Alberta)
Tamanho: 3 metros
Peso: 55 quilos
Estilo de vida: Herbívoro
Espécie: L. gracilis
Classificação: Marginocephalia, Ceratopsia, Neoceratopsia

O Leptoceratops foi um dos mais primitivos dinossauros ceratopsídeos que já existiram e habitou as terras que hoje correspondem à América do Norte, ainda durante o final do período Cretáceo, há cerca de 72 milhões de anos.

Esse espécime, que possivelmente dividiu território com o Triceratops, era pequeno e possuía não somente um corpo esguio como membros curtos. Ele é conhecido apenas por partes parciais de um esqueleto e cinco crânios.

Seu crânio, aliás, era profundo e possuía mandíbulas que carregavam apenas um único dente. Os dentes eram adaptados para esmagar e não para cortar os alimentos, o que tornava sua mastigação bem primitiva. Sem possuir qualquer chifre, seu escudo no pescoço era achatado de um lado a outro. Seus pés possuíam cada um cinco dedos, e tinham garras ao invés de cascos.

LESOTHOSAURUS

Ficha técnica
Nome: Lesothosaurus
Significado: "Lagarto de Lesoto"
Onde foi encontrado: Lesoto e África do Sul
Tamanho: 1 metro **Peso:** 10 quilos
Estilo de vida: Onívoro
Espécie: L. diagnosticus
Classificação: Ornithopoda, Fabrosauridae

O Lesothosaurus foi um dinossauro ornitópode, bípede e onívoro, que habitou as terras pertencentes aos países de Lesoto e África do Sul, ainda durante os primeiros estágios do período Jurássico.

Isso o coloca como um dos mais primitivos dinossauros ornitísquios. Seu esqueleto, descoberto durante a década de 1970, indica traços importantes para o entendimento da evolução deste grupo. Pequeno e leve, o Lesothosaurus utilizava suas resistentes pernas para jamais ser alcançado na corrida, o que tornava sua velocidade uma poderosa defesa. Tinha pescoço curto e uma cauda fina que o auxiliava nessa tarefa. Seu quadril era feito de forma similar ao das aves. Não se sabe ao certo o motivo, mas pode ter tido relação com as mudanças dos músculos que ligavam esses ossos ao quadril. "Por outro lado, o osso púbico pode ter girado para trás a fim de dar espaço para intestinos e estômago maiores – característica necessária aos animais herbívoros, pois os vegetais são de digestão mais difícil que a carne", explica o especialista Paul Barrett, na obra "Dinossauros: Uma História Natural".

OS DENTES E A DIETA

É comum a muitos herbívoros existentes hoje, o ato de comer um pouco de carne mesmo que sejam herbívoros. Antílopes pequenos geralmente consomem essa carne, pois a necessitam em sua dieta. Com o Lesothosaurus funcionava da mesma maneira. Seus maxilares continham dentes semelhantes aos de uma iguana moderna, o que caracteriza sua mastigação como voltada às plantas.

As pontas dos dentes se desgastavam de tal modo que formavam laterais agudas e cortantes que, por sua vez, eram ideais para a trituração dos vegetais – na época muito mais duros e resistentes que os atuais – em pequenos pedaços. Já os dentes da frente possuíam um formato oposto. Eram pontudos e afiados, de tal forma que lhe teria sido permitido o consumo da carne de animais menores, o que exemplifica a conexão com o hábito dos antílopes pequenos.

GUIA DOS DINOSSAUROS

MAIASSAURO

Ficha técnica
Nome: Maiasaura
Significado: "Lagarto Boa-Mãe"
Onde foi encontrado: Estados Unidos (Montana)
Tamanho: 7 - 9 metros
Peso: 2 - 3 toneladas
Estilo de vida: Herbívoro
Espécie: M. peeblesorum
Classificação: Ornithopoda, Hadrosauridae, Hadrosaurinae

O Maiasaura foi um hadrossauro – dinossauros com bico-de-pato – quadrúpede e herbívoro que habitou o território que hoje pertence à América do Norte, durante o final do período Cretáceo, há cerca de 83 milhões de anos.

Encontrado em 1978, foi possível o estudo preciso de 15 filhotes e um ninho fossilizado, em que se descobriu que já com quatro semanas, esse espécime já podia alcançar até 1 metro de comprimento.

Os recém-nascidos tinham 50 centímetros e após dois anos podiam chegar a até 3 metros. Após esse tempo o crescimento do Maiasaura era mais lento. O Maiasaura vivia e se reproduzia no litoral dos mares da América do Norte durante o período Cretáceo.

Contudo, tinha o hábito de viver em hordas e se aninhar. Paleontólogos estimam que essas hordas poderiam chegar a até 10 mil membros.

MONONYKUS

Dinossauro: Pablo Silva / Cenário: Bernardo Furlanetto

FICHA TÉCNICA

Nome: Mononykus
Significado: "Garra única"
Onde foi encontrado: Mongólia
Tamanho: 90 centímetros
Peso: 450 quilos
Estilo de vida: Insetívoro
Espécie: M. olecranus
Classificação: Theropoda, Tetanurae, Alvarezsauria

O Mononykus foi um dinossauro terópode e bípede que habitava as terras que hoje são a província de Bugin Tsav, na Mongólia, há cerca de 83 milhões de anos, ainda durante o período Cretáceo.
Encontrado em 1923, por uma expedição de paleontólogos do Museu Americano de História Natural, o espécime foi descrito na época como um dinossauro semelhante a um pássaro, mas permaneceu sem identificação precisa até melhores exemplares terem sido encontrados na década de 1990. Entre suas características principais, estão seus olhos que eram de grande auxílio na captura de suas presas, uma vez que o Mononykus caçava à noite. Possuía o corpo recoberto de penas e suas pernas eram longas e fortes para ajudá-lo a fugir de predadores.
Seus braços são a parte mais diferenciada de seu corpo, uma vez que seus antebraços eram curtos e acabavam em uma única garra – a qual originou o significado do nome desse espécime – que era utilizada para cavar em busca de alimento.

BRAÇOS RESIDUAIS

Os braços do Mononykus são, sem dúvida, a parte de seu corpo que causou o maior fascínio dos paleontólogos e estudiosos. Isso porque seus braços foram considerados residuais, durante certo tempo. De acordo com hipóteses, já refutadas, esse dinossauro originalmente teria tido asas e que foram perdidas com o passar do tempo e a evolução do mesmo. Ao mesmo tempo em que foi perdendo as asas, foi descendo das árvores e se tornando uma criatura exclusivamente terrestre.
Essa hipótese foi feita com base não somente em suas penas e braços, mas também no músculo peitoral – que hoje é uma característica fundamental nas aves, e auxilia as mesmas em seus voos.
Contudo, após refutada essa hipótese, foi visto que o Mononykus não usava esse músculo peitoral para o voo, mas sim para cavar por insetos, já que ele dava maior resistência e força a sua única garra.

GUIA DOS DINOSSAUROS

MASIAKASAURUS

DINOSSAURO GUITARRISTA?

O nome científico do Masiakasaurus, foi dado em homenagem ao guitarrista Mark Knopfler? Que foi um dos maiores guitarristas do século XX e atuou como um dos principais integrantes da banda Dire Straits. Os paleontólogos encontraram o dinossauro enquanto ouviam suas músicas e decidiram prestar uma homenagem.

Ficha técnica

Nome: Masiakasaurus
Significado: "Lagarto Perverso"
Onde foi encontrado: Madagascar
Tamanho: 1,8 metros
Peso: 39 quilos
Estilo de vida: Piscívoro
Espécie: M. Knopfleri
Classificação: Theropoda, Neoceratosauria, Abelisauria

O Masiakasaurus é um dinossauro terópode, bípede e piscívoro, que habitou as terras que hoje são o país de Madagascar, localizado na África Oriental. Esse espécime viveu durante o final do período Cretáceo, há cerca de 72 milhões de anos.

Nomeado apenas em 2001, o Masiakasaurus é conhecido apenas por um único e incompleto fóssil. Esse esqueleto está completamente desarticulado e só possui algumas partes da mandíbula, dos membros inferiores e algumas vértebras.

Sem a parte superior da mandíbula é impossível descobrir como se dava sua alimentação. Contudo, especialistas analisaram os dentes do Masiakasaurus e descobriram que os dentes da frente eram pontudos, apontados para frente e retornavam para trás ao final, como uma espécie de gancho. Uma dentição similar é vista em alguns pterosaurus – que são piscívoros – e por conta disso, cientistas deduziram que sua dieta era a mesma, apesar de não terem provas concretas dela.

MICRORAPTOR

Dinossauro: Leandro Sales / Cenário: Bernardo Furlanetto

Ficha técnica

Nome: Microraptor
Significado: "Pequeno Saqueador"
Onde foi encontrado: China
Tamanho: 40 - 60 centímetros
Peso: 1 quilo
Estilo de vida: Insetívoro
Espécie: M. zhaoianus, M. gui
Classificação: Theropoda, Tetanurae, Coelurosauria

O Microraptor é um pequeno dinossauro com não mais que 60 centímetros de comprimento, que habitava as terras da província de Liaoning, na China, por volta do início do período Cretáceo, há cerca de 131 milhões de anos.

Foi a partir da década de 1990 que cientistas ocidentais vieram às províncias chinesas em busca de novos achados arqueológicos, e se depararam com depósitos de sedimentos datados do início do período Cretáceo, em um lago na região de Liaoning.

Desde aquela década, paleontólogos retiram daqueles sedimentos restos fossilizados preservados de dinossauros fundamentais para o entendimento da evolução na terra. No caso do Microraptor, nomeado apenas em 2003, para o entendimento dos estágios transitórios entre os dinossauros e as aves.

Características

O dinossauro Microraptor se assemelha muito às aves graças à distribuição de penas em seu corpo. Possuía, assim como os pássaros modernos, penas de voo ao longo de seus braços e, peculiarmente, ao longo de suas pernas.

Suas penas mostram que ele era um planador, e isso provavelmente representava um estágio intermediário entre os dinossauros que viviam no chão e os dinossauros que habitavam as árvores. Também se mostra como um elo com os pássaros com um voo planado.

Assim, o Microraptor poderia abrir seus braços e pernas, e formar uma superfície de deslizamento que o possibilitava voar de árvore em árvore. Outra característica comum a esse espécime de dinossauro era seu corpo fino e pequeno que era sustentado por um conjunto de vértebras nas costas que o tornava firme e resistente.

GUIA DOS DINOSSAUROS

NOTHRONYCHUS

FICHA TÉCNICA
Nome: Nothronychus
Significado: "Garras Ociosas"
Onde foi encontrado: Estados Unidos (Novo México)
Tamanho: 4,5 - 6 metros
Peso: Desconhecido
Estilo de vida: Desconhecido
Espécie: N. mckinleyi
Classificação: Theropoda, Tetanurae, Therizinosauria

O Nothonychus foi um dos primeiros dinossauros pertencentes à família Therizinosauridae a serem encontrados fora da Ásia. Terópode e bípede, esse dinossauro habitou as terras que hoje são os Estados Unidos (EUA) ainda no final do período Cretáceo, há 93 milhões de anos. Na época do período Cretáceo, o Nothronychus vivia às margens dos mares rasos que cobriam a maior parte do centro da América do Norte, o que se resumia a deltas de pântanos nas áreas que hoje são os Estados do Arizona e o Novo México. Seu nome, "Garras Ociosas", vem das semelhanças físicas entre ele e as preguiças gigantes que existiram também há milhares de anos.

DESCRIÇÃO

Sua comparação com as preguiças gigantes e terrestres vem de sua postura que era sempre ereta, bem como das garras em suas mãos, que serviam para puxar a vegetação para si nas florestas pantanosas em que vivia.

O esqueleto quase completo de um Nothronychus mostra que o ele possuía uma cabeça pequena e um pescoço longo, enquanto seus dentes em forma de folha sugerem que era um herbívoro.

Outro traço que se assemelha ao de criaturas herbívoras era o seu quadril largo, bem como seu pesado corpo. As mãos eram curtas e pesadas, enquanto sua cauda irregular favorecia sua postura ereta – mais ereta que a de outros terópodes.

ORNITHOLESTES

Ficha técnica
Nome: Ornitholestes
Significado: "Ladrão de Pássaros"
Onde foi encontrado: Estados Unidos (Utah e Wyoming)
Tamanho: 2 metros **Peso:** 12,5 quilos
Estilo de vida: Carnívoro
Espécie: O. hermanni
Classificação: Theropoda, Tetanurae, Coelurosauria

O Ornitholestes é um terópode, bípede e carnívoro, que percorria as terras que hoje são os Estados de Utah e Wyoming, nos Estados Unidos (EUA), ainda durante o final do período Jurássico.

Encontrado em 1900 e nomeado apenas em 1904, seu nome sugere que o Ornitholestes tenha sido um exímio caçador de pássaros, apesar de sua dieta, na verdade, ter sido de pequenos répteis e pequenos mamíferos terrestres.

O Ornitholestes, como o caçador veloz que era, possuía um pescoço comprido que o fazia ainda mais ameaçador e ágil. Seus ossos eram ocos e sua cauda pegava mais que a metade de seu comprimento total, dando maior mobilidade enquanto caçava.

Sua cabeça era mais profunda que a de outros pequenos terópodes e seu focinho permanecia em destaque com uma pequena crista em sua ponta. O Ornitholestes tinha quatro dedos – dos quais um deles era tão pequeno que chegava a ser invisível perto do tamanho do animal.

Seus dentes não foram construídos para apanhar suas presas, mas sim para cortá-las. É muito provável que esse espécime tenha tido um uso mais versátil para suas mãos, e que quando perseguia suas presas, usava ambos (mãos e dentes) para matá-la.

OVIRAPTOR

Ficha técnica
Nome: Oviraptor
Significado: "Ladrão de Ovos"
Onde foi encontrado: China e Mongólia
Tamanho: 1,5 - 2,5 metros
Peso: 25 - 35 quilos
Estilo de vida: Onívoro
Espécie: O. philoceratops, O. mongoliensis
Classificação: Theropoda, Coelurosauria, Oviraptorosauria

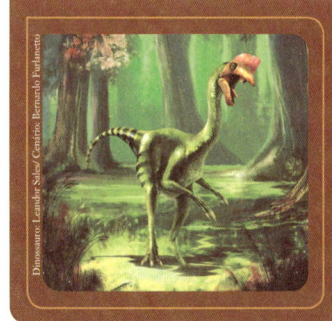

O Oviraptor é um dinossauro terópode, bípede e carnívoro, que habitou as terras que hoje fazem parte do seco e inóspito deserto de Gobi, na Mongólia, ainda durante o final do período Cretáceo, há cerca de 80 milhões de anos.

Sua descoberta aconteceu no início do século XX. Na década de 1920, alguns pesquisadores do Museu Americano de História Natural, em Nova York, realizaram uma expedição até a Mongólia. O objetivo era encontrar fósseis dos primeiros seres humanos.

No caso, nenhum fóssil humano foi achado, porém, foram descobertos em abundância ossos de dinossauros e outros pequenos mamíferos. A cena que os paleontólogos encontraram foi a de uma série de fósseis de Protoceratops, que estavam próximos aos ninhos que abrigavam diversos ovos.

Um pouco acima dos ninhos, foi encontrada a ossada de um terópode inédito que, pela cena em questão, estava a ponto de se deleitar com os ovos alheios. Esse é o motivo do

GUIA DOS DINOSSAUROS

PACHYRHINOSAURUS

nome "Oviraptor philoceratops" – que significa literalmente "Ladrão de Ovos dos Ceratópsios".

Descrição

O Oviraptor foi um dos dinossauros mais abundantes desse período. Sua crista era recoberta por uma bainha córnea o que sugere seu uso em duas situações. A primeira situação seria em um ambiente de mata rasteira e densa, no qual a crista serviria como um aparador dessa vegetação, empurrando galhos e folhas quando o dinossauro se movimentasse em alta velocidade.

A segunda situação na qual a crista seria útil – e a mais provável, já que no deserto mongol não há muita vegetação densa ou rasteira – é para a exibição e reconhecimento perante outros da mesma espécie. Seu crânio é cheio de aberturas e com pontes ósseas muito finas. Seu focinho é curto e não há dentes em seus maxilares, que bem curvados, sugerem que havia espaço para músculos auxiliares e com isso uma maior força na mordida.

Outros atributos físicos importantes são seus braços – longos e finos e com um osso que permitia a ele revirar a mão –, e seus membros inferiores que eram longos e assim permitiam uma corrida veloz, juntamente com sua cauda curta.

Acusado Injustamente

Apenas em meados do ano de 1993, quando outro exemplar de Oviraptor foi descoberto, é que se sanaram as dúvidas sobre o eterno "Ladrão de Ovos". No caso, o Oviraptor achado se encontrava dentro de um ovo fossilizado. Foi graças a essa descoberta, que os especialistas puderam rever os hábitos do Oviraptor e descobrir que de fato o ovo se parecia com o de um Protoceratops, mas era de um Oviraptor.

"O Oviraptor encontrado em cima desses ninhos não estava roubando, como se pensara, mas chocando os ovos. Aparentemente a mãe Oviraptor morreu sobre o ninho protegendo os ovos durante um deslocamento súbito das dunas", conta o especialista Paul Barrett na obra "Dinossauros: Uma História Natural".

Ficha Técnica
Nome: Pachyrhinosaurus
Significado: "Lagarto de Focinho Grosso"
Onde foi encontrado: EUA e Canadá
Tamanho: 7 metros **Peso:** 4 toneladas
Estilo de vida: Herbívoro
Espécie: P.canadensis
Classificação: Marginocephalia, Ceratopsia, Ceratopsidae

O Pachyrhinosaurus é um ceratopsídeo, quadrúpede e herbívoro que habitou as terras localizadas na parte norte e noroeste da América do Norte, como o Canadá e o Alasca, há cerca de 73 milhões de anos, no final do período Cretáceo.

Mais de uma dúzia de crânios parciais foram descobertos por Charles M. Sternberg em Alberta, no Canadá, ainda na metade do século XX, entre 1946 e 1950.

Contudo, uma boa parte desses fósseis não estava em condições de serem estudados. Assim, a partir da década de 1980, três espécies foram identificadas entre os restos fossilizados. O P. iakustai, o P. canadensis e o P. perotorum – sendo este último o mais novo dos três e o único a ser recuperado no Alasca.

O Focinho

O focinho do Pachyrhinosaurus merece atenção especial pelo fato de possuir diversos ossos achatados, como uma escora, que percorria as bordas irregulares de seu focinho. Essa estrutura possuía mais de 18 centímetros de espessura e podia ser recoberta de outra estrutura, contudo, é possível que tenha sido com tecido mole.

"Alguns cientistas afirmam que a escora do focinho deve ter sustentado um chifre formado por queratina, a mesma substância que constitui os chifres dos rinocerontes", explica Paul Barrett na obra "Dinossauros: Uma História Natural".

Contudo, é provável que não seja possível confirmar essa hipótese, uma vez que a queratina é uma substância que não se fossiliza. Ainda assim, foi possível descobrir outros traços desse espécime.

Entre eles, que o Pachyrhinosaurus não era um ceratopsídeo comum, pelo fato de não ter em sua testa os chifres compridos – iguais aos outros integrantes do mesmo grupo – além do chifre no focinho, que também não possuía.

O Escudo

Adornado com esporões e espigões, o escudo do Pachyrhinosaurus era um tanto quanto diferente dos outros ceratopsídeos. Isso porque dois espigões grandes e recurvados se projetavam da ponta de seu escudo para trás. Enquanto isso, outro grande espigão apontava para cima, partindo do centro do escudo – espigões que partem da região central do escudo de um ceratopsídeo são raros – um pouco mais acima dos olhos.

Os buracos, características de todos os escudos dos ceratopsídeos, eram provavelmente recobertos apenas de pele a fim de deixar os mais de dois metros de comprimento que a carapaça tinha, mais leves.

Havia uma teoria já refutada, de que as bordas desses buracos possuíssem uma espécie de ligação com os músculos maxilares, como se fossem um ponto de ligamento e apoio com os mesmos.

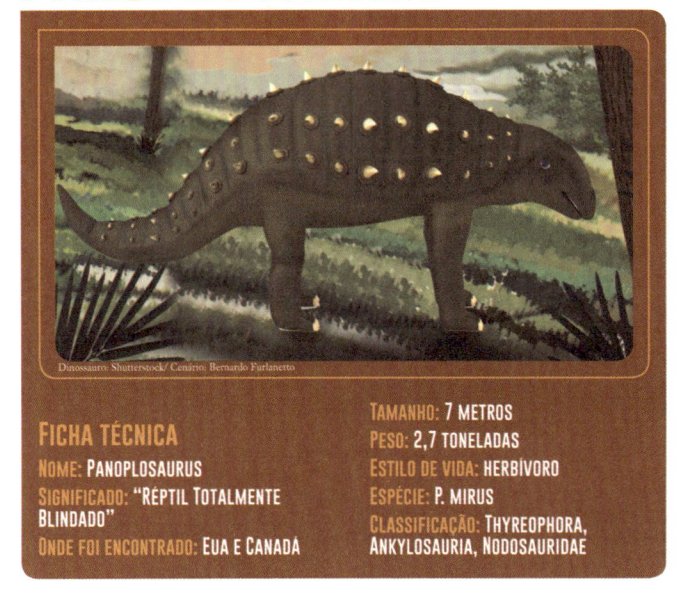

PANOPLOSAURUS

FICHA TÉCNICA
Nome: Panoplosaurus
Significado: "Réptil Totalmente Blindado"
Onde foi encontrado: EUA e Canadá
Tamanho: 7 metros
Peso: 2,7 toneladas
Estilo de vida: Herbívoro
Espécie: P. mirus
Classificação: Thyreophora, Ankylosauria, Nodosauridae

O Panoplosaurus é um dinossauro quadrúpede e bípede pertencente à subordem Ankylosauria, a mesma do famoso Stegosaurus, e habitou as terras que hoje fazem parte dos países da América do Norte, ainda durante o final do período Cretáceo, há cerca de 80 milhões de anos.

Quando descoberto, ainda no início do século XX, e até recentemente, se pensava que o Panoplosaurus era um tipo de Edmontonia, contudo, evidências comprovaram que se tratava de um dinossauro diferente, com um gênero diferente.

É um dos mais conhecidos dinossauros da época, com dois esqueletos parciais e três crânios intactos. O Panoplosaurus foi um dos últimos nodosaurídeos existentes. Possui um crânio largo e em formato de pera. Sua mandíbula era desdentada na frente e com largas narinas. Diferentemente do Edmontonia, esse dinossauro tem espinhos apenas ao redor do corpo, correndo até a cauda pelas laterais.

Sua armadura é feita de grandes placas com uma quilha proeminente no centro – fornecendo um revestimento resistente para o corpo, em sua parte de cima, bem como para os ombros e o pescoço.

PARALITITAN

FICHA TÉCNICA
Nome: Paralititan
Significado: "Gigante das Praias"
Onde foi encontrado: Egito
Tamanho: 24 - 30 metros
Peso: 75 toneladas
Estilo de vida: Herbívoro
Espécie: P. stromeri
Classificação: Sauropoda, Macronaria, Titanosauria

O Paralititan foi um dos maiores dinossauros que já existiram durante o período Cretáceo – sua altura variava em torno de 24 a 30 metros em sua posição normal – há cerca de 100 milhões de anos.

Saurópode, o Paralititan possui diversas características comuns a todos os dinossauros desse grupo, como o pescoço e a cauda alongados, o corpo robusto e volumoso, e o tamanho gigantesco.

O Paralititan é similar a outros titanossaurídeos da América do Sul, apesar de desde sua descoberta, no ano 2000, só terem sido encontrados apenas cem fragmentos de 16 ossos diferentes, o que reduz o número de traços a serem analisados pelos paleontólogos.

"Sua descoberta veio como uma surpresa, e sua presença na África do Norte sugere que ainda no final do período Cretáceo existiam algumas partes de terra ligadas ao continente da América do Sul, o local onde os gigantes titanossaurídeos floresceram", explica o paleontólogo escocês Dougal Dixon em sua obra "The World Encyclopedia of Dinosaurs & Prehistoric Creatures". Ainda sim, os especialistas foram capazes de descobrir o tamanho e algumas de suas características analisando o úmero da criatura, que no caso media 1,69 metros – o mais longo úmero já conhecido.

GUIA DOS DINOSSAUROS

PARASAUROLOPHUS

FICHA TÉCNICA
NOME: PARASAUROLOPHUS
SIGNIFICADO: "QUASE SAUROLOPHUS"
ONDE FOI ENCONTRADO: EUA E CANADÁ
TAMANHO: 10 METROS
PESO: 2,5 TONELADAS
ESTILO DE VIDA: HERBÍVORO
ESPÉCIE: P. WALKERI, P. CYRTOCRISTATUS, P. TUBICEN
CLASSIFICAÇÃO: ORNITHOPODA, HADROSAURIDAE, LAMBEOSAURINAE

O Parasaurolophus é um dinossauro ornitópode, quadrúpede e herbívoro, que habitou as terras que hoje correspondem a região do Novo México, nos Estados Unidos, e Alberta, no Canadá, há cerca de 70 milhões de anos, durante o final do período Cretáceo.

Cerca de três espécies já foram descobertas e, em um estudo comparativo entre elas, foi constatada que cada uma delas possuía uma crista com curva diferenciada da outra, o que poderia indicar, de acordo com a hipótese de especialistas do Museu de Ciência e História Natural de Novo México, diferentes sexos entre os espécimes.

Ainda de acordo com os mesmos especialistas, a crista produzia um profundo som de trombone que era usado para se comunicar entre eles. Sua crista é considerada a mais extravagante entre todas as cristas de lambeossaurídeos. Entre suas principais características estão suas grandes órbitas oculares – que indicam que ele possuía uma visão aguçada e pode ter sido ativo no período noturno. Seu bico podia colher a folhagem que crescia próxima ao solo e seu crânio possuía o formato ideal para que o movimento de mascar pudesse mastigar melhor os alimentos do Parasaurolophus.

Seus braços eram atarracados, mas seus antebraços demonstravam força o bastante para sustentar o peso do animal durante sua pastagem. Por serem curtos, os braços faziam com que o quadril do animal – grande e largo por causa de seu grande estômago feito para diferir a maciça quantidade de folhas que comia – ficasse mais elevado.

Suas pernas robustas ajudavam a segurar o peso do quadril e proporcionar maior movimento e amplitude ao dinossauro em sua locomoção, e seus pés, cada um com três grandes dedos, tinham unhas semelhantes a cascos.

PENTACERATOPS

FICHA TÉCNICA
NOME: PENTACERATOPS
SIGNIFICADO: "CARA COM CINCO CHIFRES"
ONDE FOI ENCONTRADO: EUA
TAMANHO: 6 METROS
PESO: 2,5 – 6 TONELADAS
ESTILO DE VIDA: HERBÍVORO
ESPÉCIE: P. STERNBERGI
CLASSIFICAÇÃO: MARGINOCEPHALIA, CERATOPSIA, CHASMOSAURINI

O Pentaceratops foi um tipo de dinossauro ceratopsídeo, quadrúpede e herbívoro, que habitou as regiões do Novo México e Colorado, nos Estados Unidos, há cerca de 70 milhões de anos, ainda no final do período Cretáceo.

Descoberto ainda no início da década de 1920 pelo caçador de fósseis C. M. Sternberg – conhecido pelos seus trabalhos como explorador nos sítios arqueológicos do Canadá – e foi um dos primeiros ceratopsídeos a ser encontrado.

Seu escudo, recoberto de pequenos espigões em toda sua borda, bem como suas bochechas pontudas e ossudas o distingue dos demais dinossauros com chifres e ceratopsídeos encontrados.

Diferentemente do que seu nome sugere, o Pentaceratops não possuía cinco chifres. Ele recebe esse nome pelas suas bochechas, que pontudas e ossudas, davam a impressão de se somar com os dois chifres pontudos acima dos olhos e o chifre menos na ponta do focinho, ficando assim com "cinco chifres".

PROTARCHAEOPTERYX

Ficha técnica
Nome: Protarchaeopteryx
Significado: "Antes de Archaeopteryx"
Onde foi encontrado: China
Tamanho: 70 centímetros
Peso: Desconhecido
Estilo de vida: Carnívoro
Espécie: P. robusta
Classificação: Theropoda, Tetanurae, Coelurosauria

O Protoarchaeopteryx é um dinossauro terópode, bípede e carnívoro, que habitou as terras que atualmente pertencem à província de Liaoning, na China, há cerca de 128 milhões de anos, ainda no início do período Cretáceo.

Descoberto ainda na década de 1990, é conhecido por dois espécimes e apresenta características semelhantes à de um Caudipteryx, com um corpo pequeno, e penas simétricas em seus braços.

Suas penas localizadas na cauda, assim como a própria, eram utilizadas apenas para exibição e reconhecimento, e não para o voo. Era veloz, pelo seu corpo pequeno, e podia correr grandes distâncias rapidamente. Sua corrida era facilitada pelas longas pernas e seu longo pescoço, que aliados a suas garras em seus dedos, o faziam um excelente predador de presas de menor porte que ele mesmo.

Seus pulsos eram juntos, o que permitia a ele cavar fundo atrás de outros tipos de presas e seus braços nesta posição, somados a sua cauda, serviam como um facilitador para sua velocidade, como uma estrutura aerodinâmica que mantinha seu equilíbrio.

PSITTACOSAURUS

Ficha técnica
Nome: Psittacosaurus
Significado: "Lagarto Papagaio"
Onde foi encontrado: Tailândia, China e Mongólia
Tamanho: 2 metros **Peso:** 50 quilos
Estilo de vida: Herbívoro
Espécie: P. mongoliensis, P. mazongshanensis, P. meileyingensis, P. meimongoliensis, P. ordosensis, P. sattayaraki, P. sinensis, P. zinjangensis
Classificação: Ceratopsia

O Psittacosaurus é um ceratopsídeo herbívoro que habitou as terras que hoje são os países da Tailândia, China e Mongólia, durante a época Aptiana há 124 milhões de anos, ainda durante a metade do período Cretáceo. Nomeado no ano de 1923 – pelo paleontólogo e geólogo norte-americano Henry Fairfield Osborn – por anos o Psittacosaurus foi um espécime resguardado como pertencente à ordem dos ornitópodes.

Contudo, sua cabeça peculiar que outrora foi um dos motivos pela sua classificação, mostrou evidências em estudos mais próximos ao século XXI, que esse dinossauro era, na verdade, uma espécie em fase de transição na cadeia evolutiva entre os ornitópodes primitivos e os ceratopsídeos.

Isso se provou válido para as várias espécies de psittacosaurus encontradas ao longo do tempo e que, hoje, é dividida em diversos gêneros.

GUIA DOS DINOSSAUROS

Descrição

Cerca de quatrocentos fósseis dessa espécie mostram toda a história do psittacosaurus – desde seu nascimento ainda como um filhote, até a fase adulta – o que deu parâmetros para que diversos traços fossem estudados. Entre eles está o seu bico, uma das mais distintas características desse dinossauro, que é afiado o bastante para permitir que, além de colher folhagens, pudesse abrir frutas e sementes sem esforço.

Sua cabeça era alta e curta, o que lhe dava toda a aparência necessária – somada ao bico – para que seu nome seja Psittacosaurus, que significa literalmente "Lagarto Papagaio". Seu corpo era recoberto de escamas de diversos tamanhos. Elas ficavam arranjadas, de tal forma, que os padrões em seu corpo eram sempre irregulares – com escamas menores sempre ocupando o espaço deixado pela junção das maiores.

Os achados arqueológicos demonstram que os Psittacosaurus andavam em bandos, para se proteger de predadores, e possuíam gastrólitos em seus estômagos para melhor digestão.

RHOETOSAURUS

Ficha Técnica
- **Nome:** Rhoetosaurus
- **Significado:** "Lagarto Rhoeto"
- **Onde foi encontrado:** Austrália
- **Tamanho:** 12 metros
- **Peso:** 9 toneladas
- **Estilo de vida:** Herbívoro
- **Espécie:** R. Brownei
- **Classificação:** Sauropoda, Cetiosauridae

O Rhoetosaurus foi um dinossauro pertencente ao grupo dos saurópodes que habitaram as terras que hoje são a região de Queensland, na Austrália, ainda durante a metade do período Jurássico, há cerca de 170 milhões de anos atrás.

Na ocasião, o empresário Arthur Browne encontrou alguns fragmentos fossilizados desse dinossauro em sua propriedade, uma fazenda de ovelhas no distrito de Durham Downs, em Queensland.

Ainda era o ano de 1924 e, sem possibilidades de análise por si, esses fragmentos foram enviados para o Museu de Queensland – no qual o doutor Heber Longman identificou-o como pertencente a um dinossauro saurópode.

Contudo, somente em 1975 foram descobertos os restos fossilizados que poderiam completar o esqueleto. O Rhoetosaurus é ainda um dos espécimes mais estudados na Austrália por ter sido o primeiro dinossauro grande e volumoso a ser descoberto naquela região.

A União das Massas

Naquele período, tanto os ceratopsídeos como os saurópodes estavam em constante evolução. As principais famílias de saurópodes, como os diplodocídeos e os brachiosaurídeos, por exemplo, mostram como a formação dos continentes contribui para essa progressão natural.

Uma das causas pelas quais os cientistas atribuem a evolução de todas essas classes de saurópodes é pelo fato de as massas de terra ainda estarem ligadas naquele período.

SAICHANIA

Dinossauro: Pablo Silva Cenário: Bernardo Furlanetto

Ficha técnica
Nome: Saichania
Significado: "Bonita"
Onde foi encontrado: Mongólia
Tamanho: 7 metros
Peso: 4 toneladas
Estilo de vida: Herbívoro
Espécie: S. chulsanensis
Classificação: Thyreophora, Ankylosauria, Ankylosauridae

O Saichania foi um dinossauro pertencente à família dos Ankylosauridae, e habitou as terras que hoje pertencem à Mongólia há cerca de 83 milhões de anos, ainda durante o período Cretáceo.

Seu nome "bonita" ou "bela" se refere a sua aparência. Isso porque quando foi encontrado ainda na década de 1970, esse dinossauro estava em tamanho estado de conservação, que os cientistas só conseguiam pensar que aquela era uma cena "linda".

Esses esqueletos foram encontrados sob condições de deserto, tendo sido preservados por milhares de anos em um ambiente seco e árido, muito mais árido que o ambiente no qual o ancilossaurídeo norte-americano foi encontrado.

Características

Como ponto central de toda sua descrição é possível ver sua armadura que era muito distinta ao redor do pescoço e possuía formas crescentes. Suas placas ósseas tomavam toda uma nova proporção uma vez que cobriam a parte de baixo do animal. Essas placas estavam misturadas com espinhos altos e que se estendiam por quase todo o corpo do animal, indo de suas costas até os lados. Seus membros eram curtos e massivos, o que o tornava um dinossauro mais lento que os demais.

Suas narinas possuíam um complexo sistema de passagens internas que facilitavam, não somente seu resfriamento e o processo de expiração do ar, como mantinham o árido clima desértico um pouco mais hospitaleiro.

GUIA DOS DINOSSAUROS

TYRANNOSAURUS

Dinossauro Leandur Soler/Cenário Bernardo Furlanetto

FICHA TÉCNICA
NOME: TYRANNOSAURUS
SIGNIFICADO: "LAGARTO TIRANO"
ONDE FOI ENCONTRADO: EUA E CANADÁ
TAMANHO: 10 - 14 METROS
PESO: 4,5 - 7 TONELADAS
ESTILO DE VIDA: CARNÍVORO
ESPÉCIE: T. REX
CLASSIFICAÇÃO: THEROPODA, TETANURAE, TYRANNOSAUROIDEA

O Tyrannosaurus é um dos principais representantes dos dinossauros carnívoros e talvez, ao lado do Triceratops, do Velociraptor e do Pterodáctilo, o dinossauro mais famoso de todos os tempos.

Terópode e bípede, o Tyrannosaurus habitou as terras que hoje pertencem ao território da América do Norte, ainda durante o final do período Cretáceo, há cerca de 68 milhões de anos. Vestígios também indicam que ele possa ter vivido em partes da Ásia.

Parte de sua fama veio por conta de sua descoberta, no ano de 1902, que surpreendeu os cientistas que jamais tinham encontrado um dinossauro tão robusto e gigantesco, e que fosse carnívoro.

"Por quase cem anos, consideramos o Tyrannosaurus o maior de todos os animais carnívoros. Mas os dinossauros carnívoros descobertos recentemente na América do Sul e na África mostraram ser bem maiores", explica o especialista Paul Barrett, na obra "Dinossauros: Uma História Natural", sobre a fama do Tyrannosaurus.

CARACTERÍSTICAS

O Tyrannosaurus é um dos carnívoros mais volumosos que se tem notícias até hoje. Sua cabeça tinha mais de 1,5 metros de comprimento e a parte posterior dela era larga a ponto de sustentar grandes músculos maxilares. Seu crânio era pesado, porém, flexível em certos pontos graças às conexões móveis entre os ossos, que em situações de captura de outros animais, auxiliavam na absorção do choque do impacto contra essas presas.

Suas pernas eram musculosas para sustentar seu peso e tinham três dedos espaçados que serviam, não somente para dar maior equilíbrio ao dinossauro, como para imobilizar as presas no chão.

Os músculos das pernas davam a potência necessária para uma aceleração rápida, o que funcionava muito bem em emboscadas. Seus braços eram extremamente curtos e possuíam apenas dois dedos. Porém, suas mãos e braços eram surpreendentemente fortes.

MORDIDA PODEROSA

Graças às características únicas de seus dentes – muito mais largos, serrilhados na beirada da frente e atrás – sua mordida é única. Seus dentes funcionavam como poderosas armas. Contudo, possuíam mais a função de agarrar o alimento e prender as presas perfurando-as, do que a função de cortar o alimento. Uma vez presos, os poderosos músculos do pescoço auxiliavam a dilacerar grandes pedaços de carne.

Os dentes da frente eram mais estreitos que os demais, e os especialistas acreditam que tenham servido para alcançar locais estreitos ou puxar pequenos nacos de carcaças de animais. Sua mordida era três vezes mais forte que a de um leão.

TOROSAURUS

Ficha técnica
Nome: Torosaurus
Significado: "Lagarto Perfurado"
Onde foi encontrado: Estados Unidos e Canadá
Tamanho: 6 metros
Peso: 4 - 8 toneladas
Estilo de vida: Herbívoro
Espécie: T.latus
Classificação: Marginocephalia, Ceratopsia, Chasmosaurini

O Torosaurus foi um ceratopsídeo, quadrúpede e herbívoro, que viveu no território da América do Norte, ainda durante o final do período Cretáceo, há cerca de 72 milhões de anos.

Apesar de descoberto pelo paleontólogo norte-americano Othniel Marsh, ainda durante o século XIX, e nomeado em 1891, o Torosaurus não possui um esqueleto completo.

De fato, o único fóssil conhecido da espécie é o crânio. É possível saber, apenas de analisar o crânio do Torosaurus que – além de ter sido cotado como o maior e mais longo crânio já achado para um animal terrestre, ter sido destronado pela recente descoberta de um Pentaceratops – que seus hábitos se assemelham em muito aos do Triceratops.

De fato, além dos hábitos, o que se assemelha ainda é a posição dos chifres. Assim como seu parente, o Torosaurus possuía um chifre menor localizado na ponta do focinho, e outros dois chifres maiores e mais pontudos acima dos olhos.

Além de muito maior que o do Triceratops, ele era voltado mais para baixo graças ao seu peso exacerbado, além do grande par de "janelas" que ficavam uma em cada lado do escudo. A longa área presente nessas "janelas", localizadas uma de cada lado do escudo, era possivelmente colorida e brilhante, a ponto de ser usada como uma espécie de exibição do Torosaurus para seus semelhantes.

Foi descoberto em análise a seu escudo que um dos espécimes pode ter tido algum tipo de lesão e possivelmente até um tipo de tumor de origem cancerígena, nesse osso do escudo, o que de certa forma, da uma dimensão das doenças as quais os dinossauros estavam sujeitos.

GUIA DOS DINOSSAUROS

TUOJIANGOSAURUS

FICHA TÉCNICA
Nome: Tuojiangosaurus
Significado: "Lagarto do Rio"
Onde foi encontrado: China
Tamanho: 7 metros
Peso: 0,8 - 3,5 toneladas
Estilo de vida: Herbívoro
Espécie: T. multispinus
Classificação: Thyreophora, Stegosauria

O Tuojiangosaurus é um dinossauro pertencente à mesma classe que o Stegosaurus – graças as grandes placas ósseas em suas costas – e habitou as terras que hoje são a China, ainda durante o final do período Jurássico, há cerca de 150 milhões de anos. Quadrúpede e herbívoro, o Tuojiangosaurus é mais o mais conhecido de todos os Stegosaurus chineses, graças à descoberta de dois esqueletos parciais – os quais um deles está com 50% de seu corpo completo.

Pela sua grande semelhança com o Stegosaurus, especialistas acreditam que o dinossauro da espécie Tuojiangosaurus tenha tido um estilo de vida semelhante, se alimentando de plantas que cresciam próximas ao solo. Seus 15 pares de placas ósseas que corriam desde seu pescoço até o meio de sua cauda serviam como um regulador da temperatura corporal do dinossauro e logo no final de sua cauda havia dois pares de espinhos. Esses serviam para proteção e podiam ser projetados de forma violenta caso o dinossauro se sentisse ameaçado por algum predador. Seu focinho possuía um bico fino e desdentado e mais adentro de seus maxilares havia dentes em formato de colher.

TRICERATOPS

Ficha Técnica
Nome: Triceratops
Significado: "Cara com Três Chifres"
Onde foi encontrado: EUA e Canadá
Tamanho: 9 metros
Peso: 6 toneladas
Estilo de vida: Herbívoro
Espécie: T. horridus, T. prorsus
Classificação: Marginocephalia, Ceratopsia, Chasmosaurini

O Triceratops é um dinossauro ceratópsio, quadrúpede e herbívoro, que habitou as terras que hoje são a América do Norte, ainda no final do período Cretáceo, há cerca de 68 milhões de anos.

Consideradoo mais diferente e o maior dos dinossauros de chifre do final do período Cretáceo, o Triceratops foi descoberto ainda no século XIX, e foi nomeado pelo paleontólogo norte-americano Othniel Marsh, em 1889. Contudo, nunca foi encontrado sequer um único exemplar completo de Triceratops. Tudo que se obteve desse dinossauro até hoje são vários crânios, dentes e até mesmo os chifres que o diferenciavam dos demais.

Descrição

O crânio do Triceratops tinha três chifres – razão pela qual seu nome foi escolhido como "cara com três chifres" –, o menor proveniente da ponta do focinho e os outros dois, maiores e pontudos, partindo de cima dos olhos.

Seu focinho era semelhante ao de um papagaio, uma vez que seu formato era curvo como se fosse um bico, e sua cabeça podia chegar a até 1,5 metros de largura – o que caracterizava um dos maiores crânios de animais terrestres para a época.

As mandíbulas eram formadas por "barreiras dentais" compostas por uma dezena de dentes, enquanto os maxilares – com seus movimentos vigorosos – deixavam todos esses dentes parecidos com lâminas cortantes que colhiam plantas duras e as transformavam em picadinho com extrema facilidade.

Seu corpo robusto era cotado como mais resistente e vigoroso que o dos atuais elefantes. Seus membros eram resistentes e fortes a ponto de aguentar seu peso de 6 toneladas. Sua postura – projetada a partir de estudos feitos com pegadas fossilizadas – ilustram que esse dinossauro andava ereto em seus quatro membros e mantinha os cotovelos levemente inclinados.

Seus pés possuíam cinco dedos nos membros frontais, que se assemelhavam a cascos e não a garras, enquanto que nos membros traseiros possuíam apenas quatro dedos, com os mesmos cascos.

Seus traços físicos – que se restringia ao hábito de devorar a vegetação rasteira e comer plantas pela maior parte do dia, enquanto se defendia com seus chifres de algum predador –, são comparados hoje com os de um rinoceronte.

O Escudo

Seu escudo não era diferente do de outros ceratópsios. Pensava-se que esse escudo era utilizado para proteção contra o ataque de grandes predadores, principalmente na região do pescoço.

Contudo, essa hipótese já foi refutada após encontrarem um crânio de Triceratops com seu escudo perfurado pela dentição poderosa de um Tyrannosaurus, tornando a proteção dessa placa óssea, não muito eficiente. Assim, é mais provável que o escudo do Triceratops tivesse sido usado para pura exibição, bem como para disputas por território, companheiros, ou mesmo reconhecimento entre espécies.

GUIA DOS DINOSSAUROS

UNENLAGIA

Dinossauro Leandro Salve/Criativo Bernardo Furlanetto

FICHA TÉCNICA
Nome: Unenlagia
Significado: "Meio Pássaro"
Onde foi encontrado: Argentina
Tamanho: 2 - 3 metros **Peso:** 75 quilos
Estilo de vida: Carnívoro
Espécie: U. Comahuensis
Classificação: Theropoda, Tetanurae, Deinonychosauria

O Unenlagia é um dinossauro terópode, bípede e carnívoro, que habitou as terras que hoje são território da Argentina, ainda durante o final do período Cretáceo, há cerca de 90 milhões de anos.

Quando descoberto, durante a década de 1990, causou alvoroço e até mesmo uma confusão com os especialistas, graças as suas características o assemelharem de forma estrondosa com um pássaro. De fato, o Unenlagia chegou até mesmo a ser confundido como um espécime mais jovem do Megaraptor – um dinossauro contemporâneo ao Unenlagia – mas que hoje se sabe que teria sido uma espécie totalmente diferente.

A confusão com sua aparência se deu, em parte, por conta de seus ombros que eram achatados a ponto de sustentarem asas ao invés dos costumeiros braços encurtados de dinossauros terópodes.

Contudo, se sabe que o Unenlagia não poderia voar graças a seu peso e seu tamanho – além de seus braços-asas serem muito pequenos para suportarem o animal. Assim, aos especialistas só resta crer que os braços tenham sido usados para auxiliar na estabilidade do animal quando o mesmo corresse em velocidade.

Hoje, o único esqueleto conhecido desse espécime – que é formado por apenas 20 ossos achados nos sedimentos de rocha de um rio – foi encontrado por Fernando Novas, do Museu de História Natural de Buenos Aires. Seu nome, Unenlagia, foi dado como uma espécie de mistura entre o Latim e o dialeto da língua do povo local, o Mapache.

VELOCIRAPTOR

Ficha técnica
Nome: Velociraptor
Significado: "Lagarto Veloz"
Onde foi encontrado: China e Mongólia
Tamanho: 1,8 metros
Peso: 15 quilos
Estilo de vida: Carnívoro
Espécie: V. mongoliensis
Classificação: Theropoda, Coelurosauria, Dromaeosauridae

O Velociraptor foi um dinossauro terópode, bípede e carnívoro, que viveu nas terras que hoje são a China e a Mongólia, ainda durante o final do período Cretáceo, há cerca de 80 milhões de anos.

Seus restos fossilizados foram encontrados por uma expedição liderada por John Osborn – representando o Museu Americano de História Natural – no deserto de Gobi, na Mongólia, ainda durante a década de 1920. Porém, um exemplar completo só seria encontrado quase 50 anos depois, em 1971. Na ocasião, a cena encontrada pelos paleontólogos foi a do Velociraptor praticamente atracado com um esqueleto de Protoceratops – provavelmente foram engolidos pela areia do deserto no meio de uma luta.

DESCRIÇÃO

O crânio do Velociraptor era longo e baixo e seu maxilar possuía cerca de 80 dentes que, muito afiados e curvados, serviam para estraçalhar a presa que caísse nas garras desse dinossauro. Essas garras eram outra das características que tornavam o Velociraptor um matador eficiente. Sua principal arma era seu segundo dedo – o qual possuía uma garra recurvada mortal.

Quando se locomovia, suas garras possuíam um mecanismo articulado que permitia a esse dedo, especificamente, a dobrar-se de tal forma que não raspasse no chão e não desgastasse a afiada garra.

Assim, quando se preparava para o ataque, o Velociraptor poderia virar essas garras para frente e para baixo com um coice forte de uma das pernas. O movimento era tão mortal que especialistas afirmam que quando a presa sofresse uma ferida provocada por essa garra, provavelmente o animal sangrava até a morte, tamanha a gravidade do ataque.

A CAUDA

O Velociraptor tinha muitas características em comum com outro dinossauro – o Deinonychus – como a cauda longa e fina, que era reforçada por uma estrutura de arcos ósseos acima e abaixo de sua coluna central. Esses arcos eram achatados e se alongavam como se uma espécie de haste fina que percorria diversas vértebras e formavam feixes – que ligavam a parte de cima e de baixo – dos ossos da cauda.

Isso fazia com que a cauda pudesse ser sustentada de forma reta e, assim, agregar maior flexibilidade e estabilidade aos movimentos do Velociraptor, que tendiam a ter uma rapidez acima da média.

"Os músculos da cauda podiam ser reduzidos, enquanto na maioria dos répteis eles eram grandes, para ajudar a puxar para trás as pernas ao andar e correr. Neste caso, a cauda era independente das pernas", explica Paul Barrett na obra "Dinossauros: Uma História Natural".

GUIA DOS DINOSSAUROS

YANGCHUANOSAURUS

Ficha técnica
Nome: Yangchuanosaurus
Significado: "Lagarto do Distrito de Yangchuan"
Onde foi encontrado: China
Tamanho: 10 metros
Peso: 3,5 toneladas
Estilo de vida: Carnívoro
Espécie: Y. Shangyouensis, Y. Longqiaoensis, Y. Magnus, Y. Yandonensis
Classificação: Theropoda, Tetanurae, Carnosauria

O Yangchuanosaurus é um dinossauro terópode, bípede e carnívoro, que habitou as terras que hoje correspondem a China, ainda durante o final do período Jurássico, há cerca de 150 milhões de anos. Durante a década de 1970, na província de Szechuan localizada a leste da China, foi encontrado o mais completo esqueleto de Yangchuanosaurus da história – no caso as únicas partes que faltavam ao fóssil eram os seus membros anteriores, seus pés e um pouco de sua cauda.

O dinossauro foi encontrado durante os preparativos de uma construção. O fóssil constitui o maior e mais completo terópode já encontrado na China e permanece ainda hoje em exibição no Museu de História Natural de Beijing.

O Yangchuanosaurus foi um dos mais temíveis predadores daquela região, e podia se igualar em habilidades com o Allosaurus – que ainda hoje é visto como um dos mais bem sucedidos carnívoros da história dos dinossauros.

Contudo, esse espécime possui mais dentes que o Allosaurus e uma crista que se estende por todo seu corpo, partindo do dopo de seu crânio. Possui na ponta de seu focinho uma estrutura óssea similar a um botão.

Há evidências de que o Yangchuanosaurus possuía um formato de vértebras que deixava claro um limite em suas costas, que poderia ter sido colorido e brilhante a ponto de servir de sinalização ou para se exibir a seus semelhantes.